Het verlangen

Dee Henderson

Het verlangen

Roman

Vertaald door Marian Muusse

 *Voorhoeve*

© Uitgeverij Voorhoeve – Kampen, 2006
Postbus 5018, 8260 GA Kampen
www.kok.nl

Oorspronkelijk verschenen onder de titel *The Marriage Wish* bij Steeple Hill
Books, 233 Broadway, New York, NY 10279 USA
© Dee Henderson, 1998

Vertaling Marian Muusse
Omslagillustratie Getty Images/Stone/Laurence Monneret
Omslagontwerp Douglas Design
ISBN 978 90 297 1819 6
NUR 302

U hebt mijn klacht veranderd in een dans.

Psalm 30:11

1

Als Trish nog dichter bij Brad ging zitten, zat ze op zijn schoot. Scott Williams keek hoe zijn vriendin steeds dichter naar haar man toeschoof op de bank en hoe Brad steeds dichter tegen de armleuning aan ging zitten. Trish deed het opzettelijk. Scotts ouders, die aan de andere kant van de lange bank zaten, hadden ruimte genoeg, maar dat had Brad nog niet door. Scott moest bijna lachen. De spelletjes die pasgetrouwde mensen speelden. Nee, dat klopte niet helemaal. Niet alleen pasgetrouwde mensen. Zijn zus Heather zat op schoot bij haar man Frank en die waren nu tien jaar getrouwd. Heather was weer zwanger en weigerde te gaan zitten en rust te nemen, dus had Frank het probleem opgelost. Heather scheen het niet erg te vinden. Ze flirtte met haar man en fluisterde dingen in zijn oor als ze dacht dat niemand het zag. Frank vond het leuk, zag Scott. Hij vermoedde dat ze met een excuus zouden komen om niet te blijven hangen als het feest was afgelopen.

Zijn verjaardagsfeest. Hij was achtendertig geworden vandaag. Scott keek naar de salontafel en was dankbaar toen hij zag dat hij nog maar twee cadeaus hoefde open te maken. Hij waardeerde de moeite die zijn ouders hadden gedaan en genoot van de avond met zijn familie en vrienden, maar op dit moment wenste hij dat hij zijn verjaardag alleen had gevierd. Hij voelde zich eenzaam en doordat hij hier was, werd het probleem alleen maar erger.

Hij zat met zijn lange benen voor zich uitgestrekt in de oorfauteuil. Naast hem stond een schaaltje cashewnoten en de condens kwam op het glas van zijn tweede cola light. Zijn ouders hadden op de barbecue kippenvleugeltjes, gepofte aardappels en verse maïskolven klaargemaakt. Het was een gezellige maaltijd geweest. Het was altijd gezellig als de familie bij elkaar was, maar hij vond het vervelend zich een vijfde rad aan de wagen te voelen. Vroeger had hij het nooit erg gevonden dat hij de enige was die alleen was, maar vanavond zat het hem dwars. Voor het eerst in zijn leven was hij jaloers en dat was een verontrustend gevoel.

Hij had ondertussen getrouwd moeten zijn. Het was jaren zijn voornaamste doel geweest om carrière te maken, zich in te zetten voor de kerk, een trouwe vriend te zijn en een zeer geliefde oom voor zijn neefje en zijn nichtje. Hij had altijd gedacht dat hij geen vrouw nodig had om zijn leven compleet te maken, maar hij had het mis gehad.

Zijn blik richtte zich op Amy, die een paar stappen bij hem vandaan stond en zijn op een na laatste cadeau vasthield. Toen hij haar zag, ontspande hij zich en verscheen op zijn gezicht de glimlach die hij speciaal voor zijn nichtje bewaarde. Ze droeg het T-shirt met dolfijntjes dat hij voor haar uit Florida had meegebracht. Het was haar lievelings T-shirt, had ze tegen hem gezegd toen hij die avond was gearriveerd. Heather vertelde dat het niet meeviel om het haar uit te laten trekken voor een wasbeurt. Scott grijnsde. Als ze het wilde, zou hij zelfs de maan voor die kleine meid kopen. Ze was vier en hij was gek op haar. Amy glimlachte en klom op zijn schoot. 'Oom Scott, dit voelt als een boek,' vertelde ze hem gewichtig. Hij nam het pakje van haar aan en woog het op zijn hand. 'Volgens mij heb je gelijk. Wil je me helpen?' Hij draaide het cadeau om, zodat ze bij de plakbandjes kon. Geconcentreerd begon Amy het papier los te scheuren.

'Dank u wel, mam.' Margaret had een kookboek voor hem gekocht, met ontbijtrecepten ditmaal. Ze wist dat hij van koken hield en serieus had overwogen er zijn beroep van te maken toen hij nog op de hogeschool zat. Hij had niet vaak gasten als hij ontbeet; hij beloofde zichzelf dat hij dat probleem zou oplossen.

'Ik denk dat de muffinrecepten je wel zullen bevallen,' zei ze met een glimlach.

Scott legde het boek op het stapeltje geschenken op de grond naast zijn stoel.

'Het laatste,' zei Greg, zijn neefje, tegen hem. Hij kwam aanlopen met een cadeau dat ruim een halve meter lang was. Greg was acht, nog meer bewijs dat de tijd verstreek zonder dat Scott er erg in had. Scott herinnerde zich hoe hij ervan had genoten om hem vast te houden toen hij nog een baby was, hoe Greg hem op zondagochtend in de kerk altijd wist te vinden toen hij nog maar twee of drie was en hoe Scott hem dan had opgetild en hem had gedragen en hem het gevoel had gegeven dat hij belangrijk was.

'Dankjewel, Greg.'

Het cadeau was van zijn vader. Scott maakte het open terwijl Amy het voor hem vasthield. Zijn ogen lichtten op toen hij zag wat het was. Een nieuwe hengel. 'Geweldig, pap.' Een perfect cadeau voor een man met een nieuwe boot.

Larry glimlachte. 'De vorige die ik je heb gegeven, is wel zo'n beetje versleten,' zei hij. Dat moest Scott toegeven.

Maar die hengel was dan ook zijn gelukshengel. Hij had er zijn grootste baars mee gevangen. Toch was ook dit een prachthengel. Het zou een waar plezier zijn hem voor de eerste keer te gebruiken.

Hij had de ochtend op het water doorgebracht en gedaan wat hij elk jaar op zijn verjaardag deed; het afgelopen jaar evalueren en zijn prioriteiten voor het komende jaar vaststellen. Het was hem zwaar gevallen de waarheid onder ogen te moeten zien. Hij was achtendertig, ongetrouwd en zelfs zijn moeder vroeg niet meer wanneer hij ging trouwen en een gezin ging stichten. Hoe mooi zijn leven tot op heden ook was geweest, hij had het mis gehad toen hij had gedacht dat hij zijn leven alleen wilde doorbrengen. Hij wilde wat zijn vrienden en familieleden hadden. Hij wilde een huwelijk en kinderen.

De taart werd uit de keuken naar binnengebracht en de kaarsjes werden aangestoken. Scott keek het groepje rond dat zich om de tafel verzamelde en liet zijn blik op de kinderen rusten. Hij glimlachte en richtte zijn aandacht op de kaarsjes. Toen wachtte hij even om een wens te doen.

God, waarom heb ik ooit gedacht dat ik mijn hele leven wel alleen kon blijven? Ik heb genoten van mijn vrijheid en mijn succesvolle carrière, maar het was niet mijn bedoeling dat het een permanente toestand werd. Er zit vanavond niemand op me te wachten thuis en dat doet me verdriet. Ik vind het echt een gemis dat ik geen vrouw heb en geen hechte, intieme vriendschap zoals ik die zie bij de echtparen om me heen. Ik wil wat de mensen om me heen hebben. Ik wil niet meer alleen zijn.

Scott blies de kaarsjes uit.

Het was een koude ochtend voor eind augustus. De duisternis maakte plaats voor de vroege ochtendschemering.

Jennifer St. James duwde haar handen dieper in de gevoerde zakken van haar windjack om zich tegen de kou te beschermen. De wind die van het meer kwam, deed haar huiveren. Maar de serene schoonheid van het verlaten strand woog op tegen het ongemak. Het was een zware nacht geweest.

Ze liep langs de waterkant, schopte kuiltjes in het zand en keek hoe het water het strand weer gladstreek.

'Goedemorgen.'

Haar oudere broer had de veiligheidsmaatregelen er zo lang bij haar ingestampt dat ze instinctief reageerde. Haar voeten begonnen aan een sprint die moest voorkomen dat ze werd klemgezet tussen het water en de dreiging. Iemand die bij zijn volle verstand was, was op dit uur van de ochtend niet uit bed.

'Rustig maar!' riep de man die een meter verderop liep. 'Ik wilde je niet laten schrikken.'

Jennifer staakte haar spurt en bleef met bonzend hart een paar meter verderop staan. Hij had goedemorgen gezegd. Dat was alles. Goedemorgen. Ze had zich weer belachelijk gemaakt. Ze voelde dat ze een kleur kreeg. Was het haar lot om haar hele leven van elke verrassing te schrikken? Ze had erg overdreven gereageerd. Ze steunde met haar handen op haar knieën. Ze lette niet op haar haar, dat door de wind om haar gezicht werd geblazen en probeerde haar nog altijd bonkende hart tot bedaren te brengen. Ze nam de man zorgvuldig in zich op terwijl hij op haar toe liep. Hij was lang en zijn bouw deed haar een beetje aan die van haar broer denken. Hij speelde vast basketbal met die lange benen en dat gespierde bovenlijf. Toen hij dichterbij kwam, zag ze donkerbruin haar met golven die haar jaloers maakten, doordringende blauwe ogen en uitgesproken gelaatstrekken;

ze schatte hem midden dertig. Ze had hem nooit eerder gezien. Hij was het type man dat ze zich herinnerd zou hebben. Niet dat ze nog vaak naar dit stukje strand kwam. Haar maag kromp ineen. Ze was er om precies te zijn drie jaar niet geweest.

'Gaat het?' Hij was ongeveer anderhalve meter bij haar vandaan blijven staan.

Ze knikte. Waarom moest hij hier nou juist op deze ochtend wandelen? Het strand hoorde verlaten te zijn om deze tijd. Het laatste wat ze wilde was een gesprek met een vreemde. Ze voelde zich vreselijk en zag er ook vreselijk uit. Het kon haar normaal gesproken niet zoveel schelen hoe ze eruitzag, maar als ze door haar uiterlijk in verlegenheid werd gebracht, vond ze dat toch vervelend. Ze droeg de meest versleten spijkerbroek uit haar kast en haar jack verborg wat eens een verftrui van Jerry was geweest.

'Het was niet mijn bedoeling je te laten schrikken.' Zijn lage stem klonk bezorgd.

'Ik had niet gemerkt dat je er was.'

'Dat zag ik.'

Ze ging langzaam rechtop staan door zich met haar handen op te duwen van haar knieën en haar benen te dwingen haar gewicht weer te dragen. Ze verzette zich tegen de slapte en duizeligheid die veroorzaakt werden door uitputting en wegvloeiende adrenaline.

'Je voelt je niet goed.'

De bezorgdheid op zijn gezicht en in zijn stem maakte haar verlegen en ze deed intuïtief een stap naar achteren toen hij een stap naar voren deed. 'Ik heb een lange nacht gehad. Niets aan de hand.'

Ze keek langs het strand naar het groepje bomen in de verte waarnaar ze op weg was geweest. Niet op haar gemak door zijn aanwezigheid en doordat haar alleenzijn was verstoord, draaide Jennifer zich om en wilde haar wandeling hervatten. De vermoeidheid drukte plotseling zwaar op haar en haar verlangen om te blijven lopen verflauwde, maar haar enige andere keus was naar huis te gaan en dat was geen optie. Ze streek haar lange haar uit haar gezicht en draaide het met een oud gewoontegebaar in een staart om een tijdje te voorkomen dat het in haar ogen werd geblazen.

'Vind je het goed als ik met je meeloop?'

Ze verbaasde zich over die vraag, over zijn stem die plotseling gespannen klonk, over de starheid die ze in zijn lichaamshouding zag, alsof hij even was bevroren. Ze begreep de verandering niet. Zijn handen hadden zich naast zijn lichaam tot vuisten gebald, maar terwijl ze ernaar keek, openden en ontspanden ze zich, bijna alsof hij het bewust deed. Na die ene stap naar voren en haar stap naar achteren was hij op een afstand blijven staan. Karakters beoordelen was niet haar sterkste kant, maar op de een of andere manier wist ze dat hij geen bedreiging voor haar vormde. Ze haalde haar schouders op. Het maakte eigenlijk niet uit. 'Ja hoor, prima.' Hij ging naast haar lopen en voegde zijn tempo naar haar langzame passen.

Ze wandelden zwijgend langs het strand met een meter tussen hen in, allebei met hun handen in hun zakken en de wind in hun haar. Jennifers gedachten gingen terug naar de afgelopen nacht en haar gezicht vertrok toen ze in gedachten grote X-en door elk tafereel begon te zetten en zichzelf dwong tot bewuste pogingen om de herinneringen uit te bannen. In het verleden had het gewerkt en het zou weer werken. Na verloop van tijd. Als de herinneringen zover waren verbleekt dat ze ze uit haar hoofd kon zetten. Ze zuchtte gekweld. Deze herinneringen zouden niet weggaan.

Voorlopig nog niet. Ze had afleiding vlakbij en koos ervoor haar eigen regel om stiltes te respecteren te overtreden. 'Hoe heet je?' vroeg ze zonder naar hem te kijken, maar in de wetenschap dat hij wel naar haar keek. Hij had naar haar gekeken sinds ze waren gaan lopen en het bracht haar van haar stuk. Haar woorden waren de eerste die na een paar minuten werden gesproken en het geluid van haar stem klonk misplaatst in de stille dageraad.

'Scott Williams,' antwoordde hij. 'En jij?'

'Jennifer St. James.'

Ze besefte onmiddellijk dat ze een fout had gemaakt. Vragen lokten vragen uit. Vanochtend ervoer ze zelfs het uitwisselen van beleefdheden als een inbreuk op haar privacy. Ze haalde opgelucht adem toen hij alleen die ene vraag stelde en er vervolgens weer het zwijgen toe deed. Ze was dankbaar dat hij tevreden was met zijn eigen gedachten, maar wenste dat hij zijn blik zou afwenden.

'Ik heb je niet eerder op dit strand zien wandelen. Woon je hier in de buurt?' vroeg hij uiteindelijk.

Ze schudde haar hoofd.

'Mijn huis is verderop, bij de punt,' vertelde hij haar. Jennifer bedacht dat het prettig moest zijn om aan het meer te wonen, om van dit strand te kunnen genieten wanneer je er zin in had. Het was vast een duur huis. Ze liepen weer zwijgend verder en Jennifer hoopte dat zijn volgende woorden een afscheidsgroet zouden zijn.

'Wat is er gisteravond gebeurd, Jennifer?'

Zijn stem klonk laag en diep, de emoties zorgvuldig beheerst. Hij was blijven staan, keek haar onderzoekend aan en lette op haar reactie. 'Wat?' Jennifer wist werkelijk niet hoe ze de vraag moest beantwoorden.

'Je bent getrouwd. Je hebt een schitterend blauw oog. Ik

wil weten wat er is gebeurd, zodat ik kan beslissen wat ik moet doen,' legde hij geduldig, maar gespannen uit. Er was niets doelloos aan zijn lichaamstaal of aan de blik die hij op haar gericht hield.

Ze antwoordde niet direct. Wat moest ze zeggen? Ze voelde zich nu al vreselijk. Het laatste wat ze wilde, was wel dat iemand een terrein van haar leven betrad waarmee ze zelf nog niet kon omgaan. 'Die twee dingen hebben niets met elkaar te maken.'

Hij haalde zijn hand uit de zak van zijn jack en stak die, duidelijk bang dat hij haar weer zou laten schrikken, langzaam uit om zachtjes de zwelling rond haar rechteroog en op haar wang aan te raken. Toen hij sprak, had hij zijn emoties niet meer onder controle. 'Jennifer, dit is nog maar net gebeurd.'

Zijn aanraking schrijnde en inwendig kromp ze in elkaar om alles wat ze was kwijtgeraakt. 'Ik ben tegen een deur opgelopen,' zei ze effen.

Hij fronste zijn wenkbrauwen. Zijn hele gezicht verstrakte bij haar nietszeggende antwoord en haar afwijzing van zijn vraag. 'Jennifer...'

Hij wilde haar helpen en dat was het laatste wat ze wilde. 'Ik wil er niet over praten.' Haar stem klonk vastbesloten, afwerend en duidelijk waarschuwend. Scott wilde protesteren. Dat zag ze. Alle tekenen waren er. De dichtgeknepen hand, de gespannen kaak, de ogen die weigerden de vraag op te geven. Maar iets weerhield hem en hij stopte zijn hand weer in de zak van zijn jasje en knikte abrupt voordat hij de andere kant op keek. Jennifer keek hem dankbaar aan. Hij was boos en deed zijn best zijn boosheid niet op haar te richten. Ze had hem voor een vreselijk dilemma gesteld, maar kon hem er niet van verlossen. Ze zag eruit alsof ze

15

mishandeld was. Ze had een blauwe plek, was moe, uitgeput en schrikachtig. Maar ze kon hem met geen mogelijkheid de waarheid vertellen. Ze was er zelf nauwelijks tegenop gewassen. Ze wist vanochtend simpelweg niet wat ze ermee aan moest.

Hij liep weer verder en ze volgde hem. Hij nam opzettelijk korte passen, zodat ze weer een beetje voor hem kwam te lopen. Ze wandelden zwijgend verder en Jennifer zag dat Scott elke stap die ze nam nauwlettend gadesloeg, haar toenemende uitputting observeerde, het gewicht van de vermoeidheid, waardoor ze steeds opnieuw uit balans raakte. Ze was niet in staat te voorkomen wat hij zag. Ze was uitgeput en dat wist ze en ze had geen reserves meer.

Ze hadden meer dan anderhalve kilometer langs het strand gelopen en waren vlakbij een privéboothuis en pier toen hij bleef staan. 'Dit is mijn huis.' Hij sprak de woorden en ze hoorde dat hij het vervelend vond om ze uit te spreken. Hij wilde niet weggaan. Hij wilde niet dat zijn vragen onbeantwoord bleven. Hij wilde helpen. Ze las al die verlangens terwijl hij daar stond en naar haar keek. Ze deed haar best hem recht in de ogen te kijken, al had ze door de intensiteit van zijn blik de neiging haar ogen neer te slaan en weg te kijken. 'Mag ik nog een tijdje met je blijven wandelen? Wil je gezelschap?' vroeg hij en ze stond in de verleiding om ja te zeggen.

Ze schudde haar hoofd. Plotseling besefte ze wat een puinhoop ze had gecreëerd en het feit dat ze niet het verlangen had die op te ruimen, maakte haar verdrietig en amuseerde haar tegelijk. Ze glimlachte en het was de eerste echte glimlach die ze de afgelopen drie dagen had geproduceerd. 'Nee, ik red me wel, Scott. Maar bedankt voor het aanbod.'

Het was niet het antwoord dat hij wilde horen. 'Weet je het zeker?'

Hij oefende druk op haar uit om haar van gedachten te laten veranderen en het gevoel van vermoeidheid werd er alleen maar erger door. Ze verlangde er nu meer dan ooit naar om alleen te zijn. In haar leven was geen ruimte voor gezelschap en gesprekken zolang er herinneringen waren die haar aandacht vroegen. Jennifer knikte. 'Ga maar. Ik ga nog een tijdje lopen,' stelde ze hem gerust.

Hij deed met tegenzin wat ze van hem vroeg. Jennifer keek hem na terwijl hij het pad naar het terras achter zijn huis op liep. Ze draaide zich om naar het groepje bomen en begon weer te lopen, vastbesloten niet naar huis te gaan voordat haar lichaam slaap eiste en de herinneringen uitgebannen waren. Een paar minuten later fronste ze haar voorhoofd, boos dat ze nu plotseling het gezelschap miste. Nee, niet het gezelschap, hem. Ze miste hem. De zon was nog maar net op en ze dacht aan een vreemde. Ze zou hem nooit meer zien, maar hij was even haar leven binnengestapt op een van de moeilijkste ochtenden van haar leven en om dat ene feit zou ze zich hem waarschijnlijk altijd herinneren.

Jennifer legde de ballen in de driehoek. Ze draaide de effen en de gestreepte kanten om en om naar boven met de 8-bal in het midden en stootte de speelbal naar de overkant van de tafel. De jongeren van de hogeschool bij de volgende tafel lachten om tamelijk grove moppen en de groep van zes kerels bij de bar was dronken en luidruchtig. Jennifer negeerde hen met het gemak van iemand die aan zulke mensen gewend is. De eerste twee tafels links van haar waren leeg, maar Randy en William speelden bij de derde en af en toe mengde ze zich in hun gesprek, een interessante discussie over een drugsverhaal dat de afgelopen dagen in de kranten had gestaan. De beide politieagenten waren serieuze spelers en ze nam het in de loop van een avond vaak tegen een van hen op. Vanavond gaf ze er de voorkeur aan om alleen te spelen. Ze joeg het groepje ballen uiteen met een gemene breakstoot – kort, explosief, in het midden. Ze had vanavond Thomas Bradford vermoord.

Het hoofdstuk, dat ze een uur geleden had geschreven, zat in haar aktetas. Ze had het met de hand op een wit schrijfblok gekrabbeld terwijl ze achter in het café pinda's zat te doppen en heel langzaam een cola light dronk.

Het enige wat ze nog over had, was haar carrière en die had ze net op de tocht gezet. Ann zou haar vermoorden; haar agente zou het niet op prijs stellen dat ze de kip met de gouden eieren om zeep had geholpen. Jennifer glimlachte vreugdeloos en stootte de 7-bal tegen de band, waardoor hij de hele tafel over rolde en in een hoekpocket verdween. Hij was morsdood, haar detective. Kogels hadden hem midden in zijn rug getroffen en zijn borst doorboord. Hij was nu net zo dood als haar ouders, net zo dood als haar man en net zo dood als haar drie maanden oude dochtertje. Dood.

Misschien kon ze het huis verkopen.

Ze dacht over dat idee na terwijl ze om de tafel heen liep en haar volgende stoot voorbereidde met de precisie van iemand die had geleerd het spel te zien als een interessante studie in meetkunde.

'Jen, wat is er gebeurd? Wie heeft je geslagen?' Het jasje viel op de kruk naast haar en de politiepenning die aangaf dat de man detective was, kwam bovenop te liggen. Randy en William keken allebei op toen ze Bobs woorden hoorden. Ze lieten onmiddellijk hun spel in de steek en liepen haar kant op. Jennifer keek geërgerd naar haar vriend op, keek toen weer terug naar de speelbal en tikte die handig weg, zodat hij langzaam in de zijpocket rolde zonder de 8-bal te beroeren. Het verbaasde haar niet hem te zien. Het was twaalf uur en Bob Volishburg was om half twaalf klaar met zijn werk. Hij kende haar auto. Dit café lag op zijn route naar huis. Hij kwam hier altijd een praatje maken met de andere mannen van het korps, speelde soms een potje met haar en zorgde dan dat ze veilig thuiskwam. Hij beschouwde het als een van de taken in zijn leven om ervoor te zorgen dat zij veilig thuiskwam. Met de complimenten van haar broer. Dat wist Jennifer zeker.

'Ik ben tegen een deur opgelopen,' zei ze effen.

De drie agenten reageerden op dat eerlijke antwoord hetzelfde als Scott vier dagen geleden.

'Ik heb me afgevraagd af of je nog terug zou komen,' zei Scott terwijl hij een eindje bij haar vandaan bleef staan om niet in haar territorium te komen en haar te laten schrikken. Zijn stem klonk kalm, hoewel hij zich innerlijk opgetogen voelde. Ze was terug. Hij had gebeden en gehoopt en zich op deze dag voorbereid. Ze zat op de pier achter zijn huis. Haar benen bungelden over de rand en ze had haar handen in de zakken van hetzelfde windjack dat ze had gedragen toen hij haar de vorige keer had gezien.

Hij was tien dagen bezig geweest om haar op te sporen. Zijn geweten had hem niet met rust gelaten. Uiteindelijk had hij besloten dat ze een geheim nummer moest hebben. Hij had elke St. James in de telefoonboeken van de omliggende regio geprobeerd. Uiteindelijk had hij alle blijf-van-mijn-lijfhuizen in de provincie gebeld – niet dat die hem iets zouden vertellen, maar hij had het toch willen proberen.

Hij was bijna zover geweest dat hij overwoog de politie en de plaatselijke ziekenhuizen te bellen. Ze bleef zijn gedachten zo bezighouden. Toen, drie dagen geleden, had hij voor het eerst geluk gehad en hij wist dat God daarin de hand had gehad.

Hij had wat in een plaatselijke boekwinkel gesnuffeld en was daar haar foto tegengekomen. Ze was schrijfster, schrijfster van een serie misdaadromans over een detective die Thomas Bradford heette. Scott had het boek in zijn hand gehouden en naar de foto gekeken. Hij was verbijsterd geweest over het verschil tussen de foto achterop de pocket en de vrouw die hij op het strand had ontmoet. Het boek was een heruitgave van een gebonden uitgave die eerder was verschenen, dus had hij aangenomen dat de foto een jaar of vier oud was. Het was pijnlijk geweest het verschil te zien. Haar gezicht was nu ingevallen. Het licht was uit haar ogen verdwenen. Wat was haar de afgelopen jaren overkomen? Het was hem gelukt bij haar uitgever de naam van haar agente te achterhalen, maar daar hield zijn geluk op. Haar agente – Ann nog iets – had geweigerd hem informatie over Jennifer te geven. Het enige waarop hij had kunnen hopen, was dat ze haar zijn boodschap zou geven.

Jennifer draaide zich om op de pier, trok haar knieën op en sloeg haar armen eromheen. Ze keek rustig naar hem op terwijl hij bovenaan de trap van de pier stond. 'Hallo, Scott. Ik begrijp dat je naar me op zoek bent geweest.' Haar stem klonk droog en haar glimlach was enigszins geamuseerd.

Ze zag er vreselijk uit. Haar blauwe oog was een lelijke, donkere plek geworden die haar wang ontsierde en de spanning in haar lichaam en op haar gezicht deed hem denken aan een elastiek dat heel lang tot het uiterste uitgerekt is geweest. 'Ik maakte me zorgen over je,' zei hij alleen maar.

Ze knikte en keek omlaag om even aan haar trouwring te draaien voordat ze weer opkeek. 'Dat is niet nodig. Het gaat goed met me.'

Goed vergeleken met wat? Ze leek zo breekbaar als porselein. De vorige keer dat hij haar had gezien, was ze uitgeput geweest en daar was de afgelopen tien dagen niet veel verandering in gekomen. Ze zag er afgemat uit. Hij liep naar beneden en ging op de trap van de pier zitten, dicht bij haar, maar niet zó dichtbij dat ze zich ongemakkelijk zou voelen. Het laatste wat hij wilde, was haar een reden geven om weg te gaan. 'Heb je weer gewandeld?'

'Een klein stukje,' antwoordde ze. Ze glimlachte en het was een echte glimlach. 'Ik ben niet zo ver gekomen.'

'Welk bericht heeft je uiteindelijk bereikt?' vroeg hij terwijl hij zijn vingers in elkaar haakte en naar haar keek.

'Mijn agente heeft me gebeld. Ze heeft me je boodschap gegeven. Luister, Scott, "Kom bij me logeren" zorgt bij mijn vrienden wel voor opgetrokken wenkbrauwen.'

Ze was nu in verlegenheid gebracht; hij zag de blos. Hij had zich gerealiseerd dat zijn boodschap haar in een ongemakkelijke situatie met haar agente kon brengen, maar het moest gezegd worden. Hij meende het. Zijn huis had meer dan genoeg logeerkamers. Hij zou er de voorkeur aan geven als ze een plaatsje bij zijn zus en haar man aannam, maar hij was bereid alles te regelen wat zij redelijk vond. Het idee dat iemand, haar man, haar sloeg, had hem achtervolgd. 'Ik wilde zeker weten dat je een veilige plek had waar je naartoe kon.'

Ze zuchtte, liet haar hand vallen en wreef over de houten balk van de pier. 'Scott, ik ben tegen een deur aangelopen.'

'Dat zei je al,' beaamde hij op vlakke toon, zich sterk bewust van het feit dat ze hem weer niet aankeek. Dat deed ze als ze niet wilde dat hij de waarheid in haar ogen las.

Ze keek op. Ze leek niet eens beledigd dat hij haar niet geloofde. Ze zag er wel uit alsof ze verdriet had. Ze haalde haar hand door haar haar. 'De maandagavond voordat we elkaar ontmoetten,' zei ze abrupt, 'was de derde sterfdag van mijn man. Toen ben ik vreselijk dronken geworden. Ik ben ten slotte om een uur of drie 's nachts naar bed gegaan en toen ik wakker werd, ging ik naar het toilet. Ik had een beetje haast en liep tegen de zijkant van de slaapkamerdeur op.' Ze spaarde zichzelf niet als het erom ging een verhaal te vertellen.

Ze was weduwe. Zijn maag kromp ineen. 'Jen, wat erg. Je bent veel te jong om weduwe te zijn.' Hij dacht na over wat ze had gezegd, over wat hij had gezien en zijn gezicht vertrok. 'Je moet een vreselijke nacht hebben gehad.'

Ze grimaste. 'Dat kun je wel zeggen, ja.' De herinneringen overvielen haar en ze voelde de spanning in haar nek en schouders. Ze wilde die nacht zo ontzettend graag vergeten. Ze had gedacht dat drank haar zou helpen om te vergeten, maar dat was niet zo. Ze had er alleen nog maar een herinnering bij gekregen die ze betreurde.

Ze pakte een takje dat door de wind naar de pier was geblazen en liet het ronddraaien tussen haar vingers. 'Hoe ben je erachter gekomen dat ik schrijf?' vroeg ze, van onderwerp veranderend.

'Ik vond *Dood voor de dageraad* in de plaatselijke boekhandel.'

'*Lieverd, het is een perfecte titel. Hij is kort. Ter zake. Trekt de aandacht.*'

'*Jerry, er komt in het hele boek geen moord voor.*'

'*Dan zetten we die erin. Het is een fantastische titel. Het valt niet mee om aan goede titels te komen.*'

De herinneringen achtervolgden haar. Jennifer gooide het

takje dat ze vasthield in het water en keek hoe de golven het voortstuwden. Scotts antwoord verbaasde haar. Was die pocket al uit? Ze had het uitgeefschema niet meer bijgehouden.

'Jerry vond het een goede titel,' zei ze tegen Scott.

Scott wist niet goed hoe hij Jennifers gelaatsuitdrukking moest interpreteren. Hij zag afstand en herinneringen aan het verleden. Praatte ze niet graag over haar werk? Jerry – was dat de naam van haar man? 'Het was een heel goed boek,' zei hij tegen haar om erachter te komen waar ze wel over wilde praten.

Hij vond haar een erg goede schrijfster. Hij had *Dood voor de dageraad* gekocht en het in één avond uitgelezen. Pas lang na twaalven had hij het uit gehad. Hij had de afgelopen twee dagen net zo lang de boekwinkels afgezocht tot hij al haar acht boeken had gevonden. Ze lagen nu opgestapeld op zijn nachtkastje in de volgorde waarin zij ze had geschreven. Hij had het eerste boek van de serie bijna uit, het boek waarin Thomas Bradford werd voorgesteld. Het was een fantastische reeks, die hem nog het meeste deed denken aan Robert Parkers Spenserromans en daar was hij heel enthousiast over.

'Ik ben blij dat je het leuk vond.' Ze huiverde even toen het harder begon te waaien.

'Heb je zin om bij mij te komen ontbijten?' De vraag was eruit voordat hij besefte dat hij hem zou stellen. Hij had er onmiddellijk spijt van. Had hij dan niets over haar geleerd tot nu toe? Als je haar een gelegenheid gaf om weg te gaan, greep ze die aan. Ze had gedaan waarvoor ze was gekomen – hem laten weten dat ze zijn boodschap had ontvangen en hem vertellen wat er in werkelijkheid was gebeurd. Hoe vaak had hij de afgelopen dagen niet tegen zichzelf gezegd dat hij voorzichtig zou zijn om te voorkomen dat ze weer van hem zou schrikken?

'Dat ligt eraan. Kun je goed koken?'

Hij lachte. 'Dat moet jij maar beoordelen. Ik denk zelf van wel.'

Ze maakte aanstalten om op te staan. Hij stak zijn hand naar haar uit en voelde zich opgetogen toen ze die pakte. Haar hand was klein en haar vingers eeltig en ze woog waarschijnlijk nog geen vijftig kilo. Hij trok haar met gemak overeind. Haar hoofd kwam net boven zijn schouder uit, een plezierige hoogte voor hem, en haar lange, kastanjebruine haar werd vanochtend naar achteren gehouden door een bewerkte, gouden speld. Van dichtbij waren haar bruine ogen betoverend. Hij dwong zichzelf haar hand los te laten en een stap naar achteren te doen toen ze eenmaal stond. Hij wilde zijn hand uitsteken en haar wang aanraken, tegen haar zeggen dat hij blij was te zien dat haar blauwe plek begon te genezen. Maar in plaats daarvan stak hij zijn handen in zijn zak en glimlachte hij vriendelijk naar haar terwijl ze wachtte tot hij haar voorging.

De achterdeur bij het terras was niet op slot en ze gingen een grote keuken binnen die aan de eetkamer grensde. De koffie was al gezet. Het aroma was vol en sterk. Scott legde zijn eigen jack en dat van haar over een van de zes keukenstoelen en schoof een andere stoel bij de glazen tafel voor haar naar achteren.

Zijn keuken was brandschoon. Dat was voor hem een zaak van eer. Hij vond koken ontspannend, dus bracht hij hier na zijn werk veel tijd door om zijn stress kwijt te raken. 'Heb je trek in iets specifieks?' Hij ging in gedachten de inhoud van de koelkast na. Hij was van plan geweest zelfgemaakte muffins, perziken en cornflakes te eten, maar dat was een beetje gewoon. Hij wilde hier een bijzonder ontbijt van maken. Benedictijnse eieren misschien of verse bosbessenwafels. Hij kon zelfs ontbijtpannenkoekjes met verse aardbeien klaarmaken.

'Omdat mijn ontbijt normaal gesproken uit koffie bestaat en misschien wat toast of een bagel, laat ik jou maar beslissen, denk ik.'

Hij stond voor de open koelkast en draaide zich om. Hij keek naar haar. Hij wist onmiddellijk dat ze haar ontbijt oversloeg. Het laatste wat deze vrouw moest doen, was maaltijden overslaan. 'Het ontbijt is de belangrijkste maaltijd van de dag. Je moet in ieder geval proberen iets als muffins en wat fruit te eten,' zei hij resoluut tegen haar. 'Wat dacht je van een omelet?' stelde hij voor. Hij kon heerlijke omeletten klaarmaken.

'Prima.' Ze zag de boekenkast die hij in de keuken had staan voor zijn kookboeken en liep erheen om ze te bekijken. 'Zijn die allemaal van jou?' vroeg ze verbaasd.

'Ja.' Hij begon spullen uit de koelkast te halen. Ham. Tomaten. Groene paprika's. Kaas.

Hij keek hoe ze lukraak een kookboek pakte en het opensloeg. 'Waarom zijn de hoekjes van de bladzijden omgevouwen?' vroeg ze.

'Favoriete recepten,' antwoordde hij. Terwijl de eieren gebakken werden en hij de ham, de tomaten en de paprika's in stukjes sneed, noemde hij de gerechten die hij het liefste klaarmaakte. Hij wees haar verschillende kookboeken aan en vertelde haar welke recepten daarin het beste waren. Het was een ontspannen gesprek. Hij praatte graag over zijn hobby en zij had er meer dan gewone belangstelling voor. Ze praatten onder het eten verder. Ze deelden een western omelet en een dozijn warme, zelfgebakken bosbessenmuffins. Pas toen ze klaar waren met eten, kwam het gesprek op persoonlijke onderwerpen.

25

'Hoe kwam het dat Jerry overleed?' vroeg Scott zacht en keek naar haar terwijl ze haar tweede kop koffie dronk. Eigenlijk wilde hij het niet vragen, maar hij moest het weten. Ze keek door het grote raam naar het meer. 'Hij was met mijn broer naar de sportschool gegaan om te squashen en zakte daar in elkaar. Hij overleed aan een hartaanval.' Hoe oud zou hij zijn geweest? Dertig? Vijfendertig? 'Dat kwam onverwachts,' merkte Scott op en zei daarmee wat voor de hand lag.

'Heel onverwachts.'

Hij keek naar de trouwring die ze droeg. Hij had hem tien dagen geleden al gezien, een klein hartje van diamanten dat wel bij haar hand leek te horen. 'Waren er signalen? Hoge bloeddruk? Hartproblemen in zijn familie?'

Ze schudde haar hoofd. 'Nee. Hij was nog geen half jaar ervoor uitgebreid gekeurd.'

'Wat erg voor je, Jennifer.' Het was zo'n ontoereikend antwoord. Haar leven was in scherven gevallen en hij kon haar alleen maar woorden bieden. Ze moest het verlies hebben ervaren als een dolksteek, vooral als ze een nauwe band hadden gehad. 'Je hield veel van hem.' Scott maakte de opmerking meer tegen zichzelf dan tegen haar, maar ze antwoordde toch.

'Dat doe ik nog steeds,' zei ze rustig.

Hij hoorde haar antwoord en was jaloers dat liefde zo duurzaam kon zijn. Slechts weinig echtparen hadden zo'n hechte relatie. Geen wonder dat zijn sterfdag zo pijnlijk voor haar was geweest.

Ze zette haar koffiekopje neer en veranderde abrupt van onderwerp. 'Ik heb besloten met de serie te stoppen.'

Scott wist niet wat hij ervan moest denken, noch van de plotselinge verandering van onderwerp, noch van de bewering die ze zojuist had gedaan. Ze kon het niet menen. Ze had bijna tien jaar aan de serie geschreven. Wilde ze die stopzetten? 'Wordt Thomas Bradford vermoord?'

'Ja.'

'Waarom?'

'Omdat het zonder Jerry niet meer hetzelfde is.'

'Schreef je je boeken samen met je man?'

Ze knikte.

Scott bleef een tijdje zwijgen. Het was onverstandig om zulke dramatische veranderingen in je leven aan te brengen als je rouwde. Maar de boeken moesten haar voortdurend herinneren aan wat ze was kwijtgeraakt. 'Je schrijft al jaren aan die serie. Weet je het wel zeker, Jennifer?' vroeg hij ten slotte.

'Ik weet het zeker. Ik weet al maanden dat ik het moet doen.'

'Wat ga je doen als de serie af is?'

'Dat weet ik nog niet.'

Hij fronste zijn voorhoofd. Hij was niet blij met de mogelijkheid die bij hem opkwam. 'Je gaat toch wel door met schrijven?'

'Ik heb geen ander vak.'

Hij leunde achterover op zijn stoel en keek naar haar. Hij had nooit eerder een schrijver gekend en vond het moeilijk een verstandig oordeel te vormen over de beslissing die ze moest nemen. Hij fronste zijn wenkbrauwen door het verdriet dat hij in haar ogen las. Ze had wat hulp nodig. Ze moest herstellen. Ze had iemand nodig die erop lette of ze wel at. Hij dwong zichzelf dat spoor van gedachten stop te zetten.

'Weet je hoe het boek zal eindigen als je begint met schrijven?' Dat had hij zich altijd afgevraagd. Hij nam aan dat het in verband met aanwijzingen en situaties zou helpen om het te weten, maar dat het, als de afloop vaststond, ook minder interessant zou zijn om het verhaal te schrijven. Dan zou het zoiets zijn als een film voor de tweede keer bekijken.

Jennifer kon niet voorkomen dat de herinnering bovenkwam...

'Jerry, je kunt de tuinman niet vermoorden. Hij is degene die het testament heeft gestolen om Nicoles erfenis te beschermen. Als je de tuinman vermoordt, verdwijnt dat testament voorgoed.' Jennifer was niet enthousiast over de wending die Jerry het goed doordachte verhaal had gegeven. Ze hadden er twee maanden over gedaan om de details van een sluitende plot uit te werken en nu veranderde Jerry het verhaal na honderd bladzijden. Ze waren in de achtertuin. Jerry lag in zijn hangmat naar een honkbalwedstrijd op zijn draagbare televisie te kijken. Jennifer was naar buiten gekomen om hem te zoeken. Ze was neergeploft in de tuinstoel die naast hem stond en pakte twee kussens van de grond voor haar hoofd. Ze was even afgeleid toen het tot haar doordrong dat ze het begin van de wedstrijd had gemist.

'Wie zegt dat de tuinman dood is?' vroeg Jerry en gaf haar een blikje light frisdrank uit de koelbox die naast hem stond.

'Dank je,' zei Jennifer en nam het drankje van hem aan. Ze sloeg het manuscript vol ezelsoren open. 'Bladzijde zesennegentig. Citaat: "De kogel drong door in de borst van de man en kwam niet naar buiten. Hij viel voorover in het koude water van het meer zonder dat iemand getuige was van zijn vertrek uit het land der levenden." Ze liet het manuscript op zijn borst vallen. 'Dat klinkt wel dood.'

Een van de teams wierp een diepe pass die door het andere team in de twintig werd gevangen. Het gesprek viel even stil terwijl ze naar de herhaling keken.

'Heb ik ooit gezegd dat de man in de boot de tuinman was?'
Daar dacht Jennifer goed over na. 'Nee. De moordenaar veronderstelde dat de man in de boot de tuinman was.'
Jerry grinnikte. 'Precies.'
'Goed, Jerry, wat ben je van plan?'
'Dat weet ik niet,' zei hij ernstig.
Jennifer gooide een van de kussens naar hem. 'Waarom wil je altijd rimpels toevoegen aan onze zorgvuldig geplande boeken?' vroeg ze geamuseerd.
Jerry glimlachte. 'Ik moet er toch op de een of andere manier voor zorgen dat je blijft raden?'

Scott zag hoe Jennifer zich met moeite losmaakte van een moment uit het verleden om antwoord te geven op de vraag die hij had gesteld. Het was niet de eerste keer dat hij herinneringen aan haar ogen voorbij had zien trekken en hij vroeg zich af om welke gedachte ze zojuist had geglimlacht. 'We veranderden de plot van elk boek dat we schreven tenminste één keer ingrijpend voordat het verhaal af was. We bedachten altijd de grote lijnen van het boek en gingen dan zijsporen op terwijl we de hoofdstukken schreven. Jerry verzon altijd een paar extra wendingen in het verhaal.'

Jennifer legde haar handen losjes om de beker koffie en verbaasde zich erover dat het zo makkelijk was om met Scott over het verleden te praten. Op andere momenten was de pijn teruggekomen als ze over haar leven met Jerry vertelde, maar vandaag niet. Dit waren herinneringen aan mooie tijden en ze had gedacht dat die voorgoed verdwenen waren.

Ze had zich zo geschaamd dat ze in paniek was gevlucht, dat ze zo onwillig was geweest om te vertellen hoe ze aan haar blauwe oog was gekomen. Het had haar meer dan een week gekost om de gebeurtenis uit haar hoofd te zetten, over haar schaamte heen te komen en dankbaar het feit te accepteren dat ze Scott Williams nooit meer hoefde te zien. De volgende ochtend had haar agente gebeld. Jennifer had gedacht dat ze door de grond zou zinken. Haar enige troost was de onjuiste overtuiging geweest dat Scott niet meer aan de gebeurtenis dacht. Het had twee dagen geduurd voordat ze voldoende moed had verzameld om naar dit strand terug te gaan. Nu was ze blij dat ze het had gedaan. Blij dat hij de waarheid kende.

'Je weet hoe ik mijn brood verdien, maar wat doe jij, Scott?'

'Ik ben directeur van een elektronicabedrijf dat Johnson Electronics heet.'

'O, ja?' Ze had wel gedacht dat hij een goede functie in het bedrijfsleven had, maar dit antwoord had ze niet verwacht. 'Hoe lang ben je al directeur?'

'Drie jaar. Het zijn goede jaren geweest voor onze bedrijfstak, dus ik heb nog niet het hoofd hoeven bieden aan teruglopende inkomsten. Pas als de zaken minder goed lopen, kan ik zeggen hoe geschikt ik ben voor deze baan.'

Interessant antwoord. Een man die zijn prestaties bij tegenslag gebruikte als maatstaf voor wat hij waard was. 'Zit je al lang bij Johnson Electronics?' Hij was nog jong voor een directeur.

'Achttien jaar. Ik ben er als tekenaar begonnen toen ik nog op de hogeschool zat. Ik heb er als elektrotechnicus gewerkt, heb mijn MBA gehaald en ben toen doorgestroomd naar het management.'

Jennifer vroeg naar alle facetten van het bedrijf die ze maar kon bedenken – producten, concurrenten, partners, financiële cijfers. Ze vond het beeld dat hij van zijn onderneming schetste heel interessant. Hij vertelde haar de kleinste details en ze vond zijn inzicht in het bedrijf opmerkelijk. Het was wel duidelijk dat hij van zijn werk hield. Ze praatten nog een halfuur met elkaar en daarna stond Jennifer op en zei dat het tijd werd om naar huis te gaan.

'Jennifer, ik heb voor zaterdagavond kaartjes voor de musical *Chess*. Het is een oud stuk, een beetje gedateerd, maar het is een benefietvoorstelling en er komen veel mensen. Heb je zin om mee te gaan?'

Zijn aanbod verraste haar. Ze moest er even over nadenken. Sinds Jerry was overleden, had ze geen afspraakjes meer gehad. Daar had ze geen behoefte aan gehad. 'Dank je, Scott. Dat lijkt me leuk,' zei ze ten slotte. Ze was eenzaam. Dat wist ze. En hij was prettig gezelschap en zette haar niet onder druk. Een avondje uit zou een welkom verzetje zijn.

'De voorstelling begint om half negen. Zal ik je om zeven uur ophalen, zodat we eerst ergens een hapje kunnen eten?'

Ze glimlachte en vroeg zich af hoe ver hij de uitnodiging zou uitbreiden als ze erop inging. Eerst eten en dan koffie na afloop? 'Prima,' stemde ze toe.

Hij grijnsde en ze vond zijn grijns innemend. 'Mooi. Dan heb ik een adres nodig en een telefoonnummer.'

Ze lachte. 'Ik ben gehecht aan mijn privacy. Vandaar dat ik een geheim nummer heb.' Ze schreef de informatie op een velletje papier dat hij van een schrijfblokje naast de telefoon scheurde.

Toen hij met haar meeliep over het terras achter het huis en verder langs het strand, trok ze haar jack aan en trok haar lange haar uit de kraag. 'Bedankt voor het ontbijt, Scott.'

'Graag gedaan, Jennifer. Ik kom je zaterdag om zeven uur halen.'

2

Ze was laat. Jennifer holde over het paadje voor haar huis en graaide naar haar sleutels. Scott zou over minder dan een uur komen. Haar omweg langs Rachel en Peter om een boek af te geven was een vergissing geweest. Haar broer had met haar willen bespreken of het wijs was de serie over Thomas Bradford te beëindigen en ze had geen goed excuus kunnen bedenken om te vertrekken. Ze was wel zo wijs geweest om Scott en het afspraakje niet te noemen. Dan was ze helemaal niet meer weggekomen. Peter was haar oudere broer en die verantwoordelijkheid nam hij heel serieus.

Jennifer duwde de voordeur open en de geur van rozen kwam haar tegemoet. Het boeket op haar eettafel was woensdag bezorgd. Drie dozijn rode, witte en zalmroze rozen. Op het kaartje had alleen maar gestaan *Ik zie uit naar zaterdag – Scott*. Jennifer was in tranen uitgebarsten. Ze kon er niets aan doen. Het was lang geleden sinds iemand haar rozen had gestuurd.

'Jerry, er is vandaag iets bijzonders bezorgd.' Jennifer lag naast haar man op de bank en gebruikte zijn schouder als kussen. De aftiteling van de late film begon te draaien.

'O, ja?' vroeg Jerry quasi verbaasd.

Ze glimlachte. 'Volgens mij wilde de afzender me omkopen.'

'Wat was het dan?'

'Twee dozijn rode rozen.'

'Dat was inderdaad om je om te kopen. Weet je wat rode rozen kosten tegenwoordig?' vroeg hij geamuseerd.

Ze giechelde.

'Dus wat denk je dat die geheimzinnige persoon wil?'

Jerry boog zich voorover om haar een kus te geven. 'Dat is moeilijk te zeggen,' zei hij zacht. 'Ik denk dat je dat beter aan hem kunt vragen.'

Jennifer draaide zich om op de bank om hem aan te kunnen kijken. 'Wat denk jij dat mijn man wil in ruil voor twee dozijn rode rozen?'

Jennifer bleef bij de herinnering in de deuropening staan. Ze zuchtte. Ze werd nog eens gek van die herinneringen.

Ze kleedde zich met zorg. Ze had nieuwe kleren gekocht. Aan de spullen die in haar kast hingen, zaten te veel herinneringen vast. Ze had een zachtgroene jurk met lange mouwen gevonden. Hij zag er duur uit, viel elegant en deed haar zwaar beschadigde zelfbeeld goed. Ze had er een tas en nieuwe schoenen bij gekocht. De gouden ketting en de oorbellen die ze droeg, waren een cadeau van Jerry geweest.

Ze was klaar voordat Scott arriveerde. Om te voorkomen dat ze ging lopen ijsberen, ging Jennifer haar kantoortje binnen, pakte de zwarte drieringsmap die op haar bureau lag en de rode pen ernaast. Ze zette de radio aan en stemde af op haar favoriete jazzstation. Toen ze de pagina vond die met een paperclip was gemarkeerd, ging ze aan het werk waar ze gebleven was en vergat al snel de tijd.

De bel ging. Snel schoof ze de paperclip op de bovenkant van de bladzijde die ze aan het lezen was, legde de map weer op het bureau en deed de deur open.

Daar stond hij. Hij keek naar de overdadig bloeiende bloemen in haar voortuin. Hij droeg een zwarte broek en een chique, ivoorkleurig overhemd en maakte een beheerste, ontspannen indruk. Toen hij haar zag, lichtte zijn gezicht op door een verheugde glimlach. 'Hallo, Jennifer.'

Ze glimlachte terug. 'Hallo, Scott.' Ze deed een stap naar achteren, zodat hij haar huis kon binnenkomen. 'Bedankt voor de bloemen.' Ze wees naar het boeket en was nu al nerveus.

'Graag gedaan,' antwoordde Scott kalm. 'Heb je een goede week gehad?'

'Rustig,' antwoordde ze. 'Laat me even mijn tas en mijn jasje halen. Dan ben ik klaar om te gaan.'

Ze liep de woonkamer binnen en hij volgde haar. Het was een eenvoudige kamer. Een open haard, bank, salontafel, gemakkelijke stoel, twee bijzettafeltjes, planken met spulletjes. Op een in het oog springende boekenplank stonden alle eerste uitgaven van de Thomas Bradfordserie.

De foto's trokken onmiddellijk Scotts aandacht. Er stonden er verschillende op de schoorsteenmantel en een op een bijzettafeltje. Haar trouwfoto. Jerry. Scott bekeek de foto een tijdje. Zijn concurrent. Hij verbaasde zich over het gevoel, maar kon het niet negeren. Hij concurreerde met Jennifers herinneringen aan Jerry. Jennifer zag er op de foto's anders uit. Ze zag er jong uit. Gelukkig. De afgelopen jaren hadden een zware tol geëist.

'Ik ben klaar,' zei ze rustig.

Hij draaide zich om en zag dat ze weer bij hem in de kamer stond. Hij glimlachte. 'Laten we dan maar gaan.'

Scott hield haar jasje voor haar op. 'Je ziet er prachtig uit vanavond,' zei hij zacht. De lichtgroene jurk had zijn aandacht getrokken op het moment dat ze de deur opendeed. Hij had gezien hoe de jurk om haar heen zwierde, had zich verbaasd over haar gratie en vroeg zich af hoeveel verrassingen ze nog voor hem in petto had. Ze was mooi. Haar gezicht was genezen en hoewel ze nog steeds mager was, had ze weer kleur op haar wangen en waren haar ogen levendig.

Ze bloosde. 'Dank je.'

Voorzichtig trok hij haar lange haar uit de kraag van haar colbertje.

Nadat ze de voordeur op slot had gedaan, liep Jennifer naast Scott naar zijn auto, een dure sportwagen. Hij hield de passagiersdeur voor haar open en Jennifer stapte in. Haar eigen auto was comfortabel en betrouwbaar. Deze auto was pure luxe.

'Wat dacht je van Italiaans?'

'Daar ben ik dol op,' antwoordde Jennifer.

Scott knikte en startte de motor. 'Ik weet een fantastisch restaurant.'

Jennifer begon zich te ontspannen. Scott reed goed en ze merkte dat ze het een opluchting vond om achterover te kunnen zitten en het verkeer aan iemand anders over te laten. De stilte die viel, was gemoedelijk in plaats van gespannen, zoals ze had gevreesd.

'Ik heb me de hele week op deze avond verheugd,' verbrak Scott het zwijgen.

Jennifer keek naar hem en kon het niet laten te grinniken. 'Had je zo'n vreselijke week dan?'

Scott glimlachte even. 'Ik heb betere gehad,' gaf hij toe.

Hij boog zich voorover en zette de radio aan terwijl hij zijn ogen op de weg gericht hield. Jazz. Jennifer grijnsde. Mooi, ze hielden in ieder geval van dezelfde muziek. Hij draaide het volume omlaag. Ze keek naar hem terwijl hij reed en vroeg zich af waarom hij zo'n zware week had gehad. Dat zou ze hem later moeten vragen. Ze vond het heel prettig dat hij de stilte tussen hen niet bedreigend vond.

Ze was niet zo'n prater en stilte bood tijd om na te denken.

Ze arriveerden bij het restaurant dat hij had uitgekozen. Het was druk op de parkeerplaats. Jennifer had wel eens van de zaak gehoord, maar was er nooit eerder geweest. Scott vond een plekje en zette de motor uit. 'Blijf zitten,' zei hij glimlachend tegen haar. Jennifer haalde diep adem terwijl Scott om de auto heen liep om de deur voor haar open te doen. Ze dwong zichzelf te glimlachen. Scott kon het niet helpen dat haar maag weer in de knoop begon te raken. Dit was een afspraakje, een levensecht afspraakje. Dat feit was ze gemakshalve maar vergeten. Scott stak haar zijn hand toe om haar uit de auto te helpen, drukte op een knopje aan zijn sleutelbos en alle deuren van de auto gingen dicht. Hij bood haar zijn arm aan. Een beetje in verlegenheid gebracht, stak Jennifer haar arm door de zijne. Hij merkte dat ze nerveus was en zijn glimlach was vriendelijk.

'Maak je niet druk,' zei hij vriendelijk.

'Sorry, Scott. Ik heb een hekel aan eerste afspraakjes,' gaf ze toe en wenste toen dat ze het niet had gedaan.

Ze waren bijna aan de overkant van de parkeerplaats. Hij drukte haar hand. 'Ik weet wat je bedoelt. Het probleem is, je kunt geen tweede afspraak maken als je geen eerste hebt gehad.' Toen ze bij de deur kwamen, schoof Scotts arm omlaag naar haar middel en Jennifer vond die aanraking zowel verontrustend als bemoedigend. Hij hield zijn arm daar terwijl ze door een glimlachende ober naar de plaats werden gebracht die Scott had gereserveerd. Het was een stijlvol restaurant. De tafels stonden op ruime afstand van elkaar, zodat gasten privacy hadden en het licht was een beetje getemperd. Scott hielp haar uit haar jasje, schoof de stoel voor haar naar achteren en ging tegenover haar zitten. Jennifer dwong zichzelf hem aan te kijken. Ze wist dat ze een kleur had, want haar gezicht was warm. Het enige wat hij deed was haar een vriendelijke, geruststellende glimlach schenken. Hij gaf haar het menu. 'Ze hebben hier erg lekker kalfsvlees en de kwartel is ook lekker.'

Jennifer knikte en sloeg dankbaar haar ogen neer om het met stof overtrokken boekje dat de menukaart bevatte te bestuderen. Ze sloeg het open. Geen prijzen.

'Jerry, er staan geen prijzen op dit menu.' Jennifer giechelde bijna. 'Denk je dat alles gratis is?'

Jerry glimlachte alleen maar en wenkte de ober. 'Wilt u ons twee koffie brengen, alstublieft?' Hij had zelf geen koffie nodig. Jennifer wel.

Zijn vrouw had te veel champagne gedronken.

Het stoorde hem niet. Verre van dat. Ze was verlamd geweest van angst voor het feestje dat hun uitgever voor verschillende schrijvers had gegeven om een aantal boeken voor de kerstperiode te introduceren. Ondanks haar angst was ze gegaan en ze had het er fantastisch vanaf gebracht. Toen ze na elven van het feest was vertrokken, was dat in de wetenschap geweest dat verschillende ketens van boekwinkels in het land hun zevende boek opvallend zouden etaleren. Hun agent, Ann, had een fles champagne en felicitaties naar hun hotelkamer gestuurd. Jennifer had drie glazen gedronken. Jerry, die wist dat Jennifer voor het feestje te nerveus was geweest om te eten, had haar wijselijk meegenomen naar het restaurant. Ze moest zich ontspannen.

'Jerry, laten we dat niet nog een keer doen. Goed?'

'Je hebt het geweldig gedaan, lieverd.'

'Ik heb hoofdpijn.'

'Te veel champagne.'

'Te veel mensen,' antwoordde Jennifer. 'Heb je die vrouw met die diamanten ketting gezien, die met zes snoeren?'

'Lisa Monet. Haar laatste vier boeken hebben op de bestsellerlijst gestaan,' antwoordde Jerry kalm.

'Ze was mooi.'

'Lang niet zo mooi als jij.'

Jennifer glimlachte. Haar echtgenoot meende het. 'Dank je.'

'Wil je gaan dansen als we klaar zijn met eten?'

'Kan dat? Het is al erg laat.'

'En dat zegt een vrouw die drie uur 's nachts de meest perfecte tijd van de dag vindt?' plaagde Jerry haar goedmoedig.

'Alleen als Thomas besloot dat hij wilde blijven praten.'

Jerry glimlachte.

De ober bracht de koffie.

'Jen, heb je al een keuze gemaakt of heb je nog meer tijd nodig?' Geschrokken realiseerde Jennifer zich dat Scott het tegen haar had.

'Het kalfsvlees, alsjeblieft,' antwoordde ze om te verbergen dat haar concentratie was verslapt.

Hij gebaarde naar de ober en gaf hun bestelling op. Ook hij had het kalfsvlees gekozen. 'Waar zat je aan te denken?' vroeg hij.

Jennifer bloosde. 'Jerry en ik zijn een paar jaar geleden in New York ook naar een restaurant als dit geweest. Dat was ik vergeten.'

'Je hoeft je niet te verontschuldigen,' antwoordde Scott vriendelijk. 'Wat deden jullie in New York?'

'Ons zevende boek verscheen voor de kerst. De uitgevers gaven een feest voor alle schrijvers van wie een nieuw boek verscheen. Een manier om wat publiciteit te krijgen.'

'Volgens mij heb ik gelezen dat dat boek heel populair was.'

Jennifer knikte. 'Het verkocht goed.' *Daarom besloten we dat we over kinderen konden gaan denken.* Ze kon het niet helpen dat er even een verdrietige uitdrukking over haar gezicht trok.

De salades kwamen voordat Scott de kans had naar haar blik te informeren.

Ze aten gemoedelijk zwijgend.

'Vertel me eens over je familie, Jennifer. Woont die in de buurt?'

Jennifer zette haar kristallen waterglas neer. 'Mijn ouders zijn een paar jaar geleden omgekomen bij een verkeersongeluk. Ik heb een broer, die ouder is dan ik. Peter is getrouwd en hij heeft drie kinderen. Alexander is negen, Tom is elf en Tiffany is twaalf.'

'Hebben jij en Jerry geen kinderen gekregen?' Dat was de verkeerde vraag; Scott wist het zodra hij hem had gesteld, maar het was te laat om de woorden terug te nemen.

'Jerry, kunnen we een wiegje voor Jenny Lynn kopen?'

Haar man sloeg zijn armen, die om haar middel lagen, even wat steviger om haar heen. 'Natuurlijk. Volgende maand, als een cadeautje voor de zevende maand?'

'Heb je tegen die tijd de babykamer geschilderd?'

Jerry glimlachte. 'Zelfs de teddybeertjes rond de deurpost,' verzekerde hij haar.

Jennifer omhelsde haar man. 'Fijn. Ik heb nog over namen zitten nadenken. Wat dacht je van Colleen voor een meisje?'

'Colleen St. James. Dat klinkt goed. Heb je ook al een tweede naam?'

'Nog niet.'

Het rauwe verdriet dat Jennifer ervoer, verscheurde haar hart. Jerry had niet lang genoeg geleefd om de geboorte van zijn dochter mee te maken. 'Nee,' fluisterde ze ten slotte, 'we hebben geen kinderen gekregen.'

Scott las het verdriet in haar ogen. 'Jen, het spijt me. Ik wist niet...'

Ze schudde haar hoofd en dwong zichzelf te glimlachen.

'Het geeft niet. Anders ben ik niet zo gevoelig. En jij? Woont jouw familie in de buurt?'

'Mijn ouders wonen in Burmingham, ongeveer veertig minuten rijden hiervandaan. Ik heb een jongere zus, die Heather heet. Ze is getrouwd, heeft twee kinderen en verwacht de derde.'

Ze praatten een tijd over hun familie en Jennifer lachte om de verhalen die Scott over zijn eigen jeugd en die van Heather vertelde.

'Wil je koffie?'

'Graag,' stemde Jennifer toe.

'Hoe gaat het met het boek?'

'Niet slecht. Ik werk er al een tijdje aan. Over een week heb ik de eerste versie af.'

'Ben je nog steeds van plan een einde aan de serie te maken?'

'Ja. Dat is het beste. De boeken zijn niet hetzelfde zonder Jerry.'

Scott keek op zijn horloge en zei met tegenzin dat het tijd was om naar het theater te gaan. Jennifer zou er tevreden mee zijn geweest om te blijven praten en het toneelstuk over te slaan.

Scott liep naast haar van het restaurant naar de auto. Toen hij het portier voor haar openhield, verwachtte ze dat. 'Dank je,' mompelde ze zachtjes en ging zitten.

Ze zwegen tijdens de korte rit naar het theater. 'Ben je hier wel eens geweest, Jennifer?'

Ze schudde haar hoofd.

'In deze schouwburg staan de stoelen om het hele podium heen. Het podium is achthoekig en delen ervan kunnen tijdens het toneelstuk omhoog of omlaag. Een orkest verzorgt de muziek.'

Jennifer glimlachte. 'Het lijkt me fantastisch, Scott.'

Scott hield de deur voor haar open. Ze liepen een enorme foyer binnen. Scott, die zijn hand op Jennifers rug had gelegd, leidde haar tussen de mensenmenigte door en liep naar links. Een zaalwachter nam de kaartjes van Scott aan en gaf hem het gedeelte met de stoelnummers en twee programma's terug. 'U zit op de vierde rij van het blauwe gedeelte.'

'Dank u.'

De stoelen waaierden uit vanaf het toneel. Jennifers zag niet welke aanwijzingen Scott opvolgde tot ze merkte dat de vloerverlichting van elk gedeelte een andere kleur had. Het waren elegante schouwburgstoelen, overtrokken met koningsblauw kreukfluweel. Scott hielp haar uit haar colbertje en hing het over de rugleuning van haar stoel. Het programma dat Jennifer opensloeg, bestond uit tien bladzijden met informatie over de musical, de acteurs, de regisseur, de kostuums en de decors.

De lichten doofden en het orkest begon te spelen.

Het was een stuk met veel vaart. Ze had niet geweten dat het op een politiek intrige gebaseerd was.

De pauze, na een uur, verraste Jennifer. Scott had van de uitvoering genoten, maar had er ook van genoten om naar Jennifer te kijken, die op het puntje van haar stoel had gezeten en helemaal in het stuk was opgegaan. 'Vond je het leuk tot nu toe?'

Ze leunde met een brede glimlach achterover in haar stoel. 'O, ja. Ik ben bekaf. Te veel intriges.'

Hij grinnikte. 'Als je je boeken schrijft, raak je ook vast gespannen.'

'Als ik een misdaad heb beschreven, duurt het soms uren voordat ik me weer ontspannen voel.'

'Jerry, dit was een fantastisch idee.'

Het hotel had een prachtig overdekt zwembad, zacht verlicht en omgeven door tropische planten. Ze waren de enige gasten die er gebruik van maakten. Door het warme water verdwenen de zere plekken in haar rug, waarvan Jennifer had gevreesd dat ze blijvend waren. Jerry schoof zachtjes zijn hand naar boven om Jennifers nek te masseren, waar gespannen spieren haar een knallende hoofdpijn bezorgden. 'Ik zou willen dat je vaker een pauze nam, Jennifer. Al loop je maar een rondje om het huis. Die marathons van twaalf uur zijn dodelijk.'

'Hmm.' Ze boog naar voren om te zorgen dat hij beter bij haar schouders kon.

'Hoe heb je het voor elkaar gekregen om zo kort van tevoren te reserveren?'

'Ik had drie weken geleden al gereserveerd.'

Jennifer deed een oog open. 'O, ja?'

Hij glimlachte. 'Ik ben niet degene die onze trouwdag vergeet.'

Ze kreunde. 'Sorry. Ik maak een andere keer wel iets lekkerders klaar dan gehaktbrood. Ik zat zo in het verhaal.'

Jerry glimlachte. 'Maak je niet druk. Ik ben dol op jouw gehaktbrood.' Hij kuste haar zacht, legde zijn armen om haar middel en ondersteunde haar.

'We zijn bijna klaar met dit boek,' zei Jennifer doezelig.

'Nog een week,' beaamde Jerry. Hij wreef zacht met zijn hand over haar middenrif. 'Hoe is het met onze baby?'

'Ze houdt van ijs en chocola en ze heeft een hekel aan gehaktbrood,' antwoordde Jennifer. 'En ze heeft ook een hekel aan vroeg opstaan.'

Jerry grinnikte. 'Ben je nog erg misselijk?'

'Nee.' Jennifer kuste zacht de zijkant van zijn hals. 'Het is moeilijk te geloven dat ze al weer een half jaar oud is,' zei ze met een zucht.

Jerry gaf haar een kus. 'Een volmaakt half jaar.'

'Neem me niet kwalijk, Scott. Ik kom zo terug,' zei Jennifer met een wit weggetrokken gezicht en handen die plotseling trilden. Ze stond snel op. 'Zijn de toiletten in de buurt van de ingang?'

Scotts hand kalmeerde haar. 'Ja.' Hij had de emoties op haar gezicht gezien. Wat voor herinneringen hij ook had opgeroepen, ze waren heel sterk. Hij keek haar na terwijl ze snel naar de deur liep.

De toiletten bestonden in feite uit drie ruimtes. Een zitkamer met prachtige banken en antiek, een make-upruimte en toiletten. Jennifer liep direct door naar de laatste en maakte een papieren handdoekje nat. Ze keek niet naar zichzelf in de spiegel, omdat ze wist hoe bleek ze moest zijn. Ze liep terug naar de andere ruimte en vond een plekje waar ze kon gaan zitten.

De stroom van gedachten kwam niet tot rust. Ten slotte dwong ze zichzelf diep adem te halen en te gaan staan. Ze wist niet hoe lang ze had gezeten, maar het was waarschijnlijk niet meer geweest dan een kwartier. Ze had geen idee wat ze tegen Scott moest zeggen.

Hij stond aan de overkant van de gang voor de toiletten op haar te wachten en liep op haar toe toen hij haar zag.

'Het spijt me,' zei Jennifer zacht en schuldbewust.

Hij keek even onderzoekend naar haar gezicht.

'Ik heb iets te drinken voor je meegebracht. Je zag eruit alsof je het wel kon gebruiken,' zei hij ten slotte terwijl hij een van de twee glazen die hij vasthield aan haar gaf.

Het zag eruit als drank. 'Ik drink niet, Scott. Alleen als ik extreem gespannen ben,' verduidelijkte ze omdat ze zich de sterfdag van haar man herinnerde. Toen had ze wel gedronken.

'Ik ook niet. Het is ijsthee.'

Ze bloosde verlegen.

'Schei daarmee uit, Jen. Ik zou het erg hebben gevonden als je het niet had gevraagd.'

Jennifer keek naar hem op. Hij meende het. Ze zou nooit aan deze man wennen. 'Dank je.'

'Voel je je nu wat beter?'

Hij wilde een eerlijk antwoord. Jennifer wist niet wat ze tegen hem moest zeggen. Ze keek naar de trouwring die ze droeg. 'Ik herinnerde me dat ik het laatste jaar voor Jerry's dood onze trouwdag was vergeten.' Ze drong haar tranen terug, maar haar ogen glansden. 'Sommige herinneringen zijn nog pijnlijk, Scott. Dat is niet eerlijk tegenover jou. Het spijt me.'

Scott schoof voorzichtig zijn hand onder haar haar en legde hem onderaan haar nek. Zijn blauwe ogen hielden haar bruine ogen vast. 'Het geeft niet, Jen,' zei hij zacht. 'Hij was je man. Je hoeft hem niet te vergeten om door te gaan met je leven.'

Zijn hand gleed omlaag en greep de hare vast. 'Drink je ijsthee op. De pauze is bijna afgelopen.'

Jennifer deed wat hij zei. Scott nam het glas van haar aan en gaf het terug aan een van de obers die tussen de mensen door liepen. Hij leidde haar terug naar hun stoelen.

De lichten doofden.

Scott pakte rustig Jennifers hand en hield die stevig vast. Zonder naar hem te kijken, reageerde ze met een kneepje in zijn hand.

De laatste acte was heel ontroerend. Jennifer huilde voordat het doek viel en Scott gaf haar een zakdoek.

'Dat was heel mooi, Scott,' zei Jennifer toen het stuk afgelopen was en ze haar ogen droogde. 'Verdrietig, maar mooi.'

'Ik ben blij dat je het leuk vond.' Hij vlocht zijn vingers door de hare. 'Heb je zin in een slaapmutsje? Koffie?'

'Zullen we naar mijn huis gaan? Ik wil een paar aspirientjes innemen,' bekende ze.

'Prima.' Scott pakte haar jasje en hun programma's.

'Scott, ik *dacht* al dat jij het was!' Zijn hand verstijfde. Jennifer keek verbaasd op en zag Scott naar de mensenmenigte achter zich kijken.

'Dag, mevrouw Richards,' zei hij beleefd toen een vrouw van tegen de zestig zich voor hen posteerde en zo hun weg naar de uitgang versperde.

'Was dat geen geweldige musical? Mijn Susan doet het zo fantastisch. Ze is geknipt voor die rol, vind je niet?'

Jennifer verstarde. Ze herinnerde zich dat Susan Richards een van de actrices was geweest. Ze had een serveerster gespeeld. Een heel aantrekkelijke serveerster. Scott reageerde door Jennifer een kneepje in haar hand te geven. 'Ja, Netta, Susan wordt een heel goede actrice,' beaamde hij en deed langzaam een paar stappen naar voren.

'We hebben een informeel feestje om haar succes te vieren. Zeg alsjeblieft dat je ook komt.'

Jennifer zag een knappe vrouw in een witte jurk die naast de oudere vrouw kwam staan. Ze was voor in de twintig. 'Mama, dat hoeft niet.' Ze glimlachte verontschuldigend. 'Hallo, Scott.'

'Susan.' Hij glimlachte. 'Je hebt goed gespeeld, zoals gewoonlijk. Gefeliciteerd dat je de hoofdrol in Towers hebt gekregen.'

Ze glimlachte. 'Dank je. Heeft Jim je dat verteld?'

Scott knikte. 'Sorry, dames, maar we moeten gaan. Jennifer voelt zich niet lekker vanavond.' Voordat Jennifer besefte wat er gebeurde, had Scott haar naar de foyer gemanoeuvreerd.

'Die Susan lijkt me een aardig meisje.'

'Dat is ze ook. Ze is verloofd met een van mijn ontwerpers. Of liever gezegd, ze gaat zich met hem verloven als Jim eenmaal de moed voor een gesprek met Netta heeft gevonden.'

Jennifer begreep direct hoe de vork in de steel zat. 'Aha.'

Scott glimlachte. 'Precies.' Hij drukte speels haar hand. 'Je bent hier goed in.'

'Vaak geoefend,' antwoordde Jennifer geamuseerd.

'Scott.' Ditmaal was het een mannenstem die zijn naam riep.

Scott keek om. 'Jen, houd je het nog een paar minuten vol? Ik wil je graag aan iemand voorstellen,' vroeg hij en keek haar oplettend aan.

'Geen probleem,' zei ze.

Scott legde zijn arm om haar middel en nam haar mee om een echtpaar te ontmoeten, een oudere heer van tegen de zeventig die de hand vasthield van de vrouw die naast hem stond.

'Bedankt voor de kaartjes, Scott. We hebben van de voorstelling genoten.'

Scott glimlachte breed en schudde de hand van de man.

'Graag gedaan, Andrew.' Scott boog zich voorover om de vrouw een kus op haar wang te geven. 'Je ziet er fantastisch uit, Maggie.'

Ze bloosde. 'Dank je, Scott.'

'Andrew, Maggie, mag ik jullie Jennifer St. James voorstellen?' Jennifer vond Scotts arm om haar middel heel geruststellend. Ze glimlachte naar het echtpaar terwijl ze hen begroette. 'Andrew is mijn adjunct-directeur, Jennifer. Hij kent het bedrijf beter dan ik.'

De oude man glimlachte. 'Geloof maar niet alles wat hij

zegt, Jennifer. Misschien moet ik binnenkort maar eens met pensioen, gewoon om hem te laten merken dat ik niet onmisbaar ben.'

'Op de dag dat jij met pensioen gaat, neem ik ontslag,' antwoordde Scott lachend. 'Maggie, hoe gaat het met je kleindochter? Windt ze haar opa nog steeds om haar vinger?'

De vrouw straalde. 'Reken maar!' Ze glimlachte naar Jennifer. 'Andrew heeft dit weekend een schommel in de tuin gezet. Mijn kleindochter is nog maar zes maanden, maar Andrew wil dat we voorbereid zijn voor het geval we moeten oppassen,' zei Maggie en keek geamuseerd naar haar man.

Hij grijnsde alleen maar. 'Scott, wil jij Maggie alsjeblieft uitleggen dat een mens nooit te goed voorbereid kan zijn?'

Scotts aandacht werd getrokken door een emotie die over Jennifers gezicht was gegleden. Hij voelde dat ze plotseling gespannen was en moest zichzelf dwingen zijn aandacht weer op het gesprek te richten. 'Maggie, volgens mij is hij vastbesloten altijd overal op voorbereid te zijn. Ik ben bang dat je daar maar mee zult moeten leren leven.'

God, waarom heeft Jennifer verdriet? Ik wilde dat ze een ontspannen avond zou hebben. Ik weet niet wat er mis is. Scott bad de woorden in stilte terwijl hij zijn arm verschoof om Jennifer meer steun te geven. 'Ik vind het vervelend om al zo snel gedag te zeggen, maar we moeten gaan,' zei hij tegen zijn vrienden. 'Maggie, het was leuk om je te zien. Andrew.' Zacht nam ook Jennifer afscheid.

Ze liepen samen naar de auto. Scott keek naar haar bedrukte gezicht, zag dat ze gespannen was en begreep dat ze wat tijd nodig had. Hij gaf die haar. Hij zette de radio aan en vond een zender die nog rustige jazz draaide. 'Gaat het?'

Jennifer knikte na een tijdje.

'Ik breng je snel thuis,' beloofde Scott.

Het was een ritje van een halfuur. Toen ze bij haar huis kwamen, liep Scott om de auto heen om het portier voor haar open te doen en liep daarna met haar mee over het tuinpad. Ze deed de voordeur open en aarzelde toen. 'Ik heb een kop koffie nodig. Drink je een kopje mee?'

Scott besefte dat ze waarschijnlijk het liefst een einde aan de avond wilde maken, maar dat ze haar best deed om vriendelijk te zijn. Hij knikte zwijgend. Jennifer wees naar de zitkamer. 'Ik kom zo.'

Ze bleef bijna tien minuten weg, maar Scott liet haar met rust. Hij liep door de zitkamer waar een Bijbel op het bijzettafeltje lag. Jennifers naam stond op de leren kaft gedrukt. Hij fronste even zijn voorhoofd. Wat had ze ook alweer gezegd? Hij had haar tijdens het eten gevraagd naar welke kerk ze ging. *Mijn man was heel gelovig. Ik ben zelf niet vaak meer naar de kerk geweest sinds hij is overleden.*

Uit haar huis maakte hij op dat het geloof niet alleen iets van haar man was geweest. In ieder geval niet in de tijd dat hij nog leefde. Op de losse kussens van de bank waren Bijbelteksten geborduurd en ook op twee van de foto's stonden teksten geschreven. Wie wist hoe ze er nu over dacht? Behalve het overduidelijke feit dat ze verdriet had, had hij niet veel houvast.

Het zat hem dwars dat ze juist was weggelopen van Degene Die haar kon genezen. God. Toen haar man stierf, moest ze boosheid hebben ervaren en geschokt zijn geweest. De worsteling met de vraag waarom God had toegelaten dat het gebeurde, had vanzelfsprekend diepe wonden achtergelaten. Maar na drie jaar zou er niet meer zo'n afstand tussen haar en God moeten zijn. Was ze gewoon vastgelopen en wist ze niet meer hoe ze moest terugkeren? Hij moest een manier vinden om dit op te lossen.

Ze kwam binnen met hun koffie.

Scott pakte de beker die ze hem aanbood en bedankte haar. Hij keek haar bedachtzaam aan. Hij had haar nog niet eerder zo zien kijken, een kalme, intense blik waaruit hij opmaakte dat ze een beslissing had genomen.

'Ik denk dat je het verkeerde moment hebt gekozen om me te leren kennen, Scott.' Ze ging in de stoel tegenover hem zitten toen hij op de bank ging zitten.

Hij verstrakte. Hij vermoedde dat dit gesprek in een richting ging die hem niet aanstond. 'Vanwege die herinneringen?'

'Omdat ik me niet wil binden,' antwoordde ze. 'Niet nu.'

Hij zuchtte. 'Jennifer, je moet hier doorheen, hoe lang je ook wacht. Bij de eerste stap die je zet, kom je in dezelfde omstandigheden.'

'De herinneringen zijn nog te pijnlijk, Scott. Ik kan niet elke dag een half dozijn flashbacks aan van een tijd dat het leven volmaakt was. Dan stort ik in.'

Scotts gezicht vertrok bij het idee. 'Was het dan volmaakt, Jen?' vroeg hij voorzichtig.

'Een tijdje wel, ja,' fluisterde ze.

'Wil je dat ik wegga, Jen? Dat ik voorgoed afscheid neem?'

Ze legde haar hoofd tegen de leuning van de stoel en keek naar hem. 'Ik wil het verleden terug,' antwoordde ze. Ze glimlachte flauwtjes. 'Ik klink als een verwend kind dat het onmogelijke wil.' Ze zuchtte. 'Scott, ik geloof dat ik het niet eens zou kunnen opbrengen om nu een goede vriendin te zijn. Ik heb niet de energie of de moed om opnieuw een risico te nemen.'

'Jen, ik kan je verdriet dat je hebt niet wegnemen. Maar ik kan je wel de tijd geven die je nodig hebt, zonder enige voorwaarde.'

'Ik word onaangenaam als ik verdriet heb,' waarschuwde Jennifer hem zacht.

'Dat overleef ik wel,' zei hij vastbesloten. 'Verstop je niet, Jennifer. Ik kan niet omgaan met dingen waarvan ik niet weet dat ze er zijn.'

Je weet niet van Colleen. Je weet niet hoe ze is gestorven.

Ze keek hem aan. Hij was niet in staat om te gaan met dat niveau van haar verdriet. Nog niet. 'Goed, Scott.'

'Mooi zo.'

Jennifer schopte haar schoenen uit, zodat ze haar benen kon optrekken.

'Wil je volgende week een eenvoudig etentje proberen?'

Ze schudde haar hoofd.

Scott keek teleurgesteld. Voordat hij iets kon zeggen, knikte Jennifer naar haar kantoor. 'Ik moet de eerste versie van het boek afmaken, want anders durf ik die serie niet meer te beëindigen.'

Hij trok een gezicht. 'Werk. Dat excuus heb ik zelf vaker gebruikt dan ik wil toegeven. De week erna dan?'

'Dan kan ik elke avond behalve maandag,' antwoordde Jennifer en gaf hem een cart blanche om haar agenda in te vullen. Op maandagavond kwamen haar broer en zijn twee zoontjes altijd naar een American footballwedstrijd kijken.

'Wat dacht je van donderdagavond?'

'Klinkt goed,' stemde Jennifer toe.

Scott knikte. 'Donderdag dan.' Hij kon het niet helpen dat hij gaapte. Het had niets met zijn gezelschap te maken. Het was gewoon een heel lange, zware week geweest.

'Wil je nog koffie?'

'Graag,' antwoordde Scott.

Jennifer schonk zijn beker vol en ging toen weer zitten. 'Welke schrijvers lees je nog meer graag?' vroeg ze en grijnsde toen. 'Behalve mij?'

Hij lachte. Ze praatten een uurtje gezellig over boeken en schrijvers waar ze van hielden en daarna over films die ze hadden gezien. Toen wierp Jennifer een blik op haar horloge. 'Scott, het is kwart voor een.'

Hij knikte. 'Je hebt gelijk. Ik kan maar beter gaan.' Hij stond op en glimlachte. 'Ik vond het een fijne avond.'

'Ik ook,' gaf ze toe.

Ze knipte het licht bij de voordeur aan en keek toe terwijl hij zijn auto startte. Hij stak zijn hand op. Ze zwaaide terug en deed toen zachtjes de deur dicht.

'Je ziet er moe uit. Laat geworden gisteren?'

Scotts zus Heather grijnsde terwijl ze de vraag stelde. Ze boog zich over de rugleuning van de kerkbank om zijn aandacht te krijgen. Scott zat zich voor te bereiden voor de les die hij de jeugdgroep over twintig minuten moest geven. Hij glimlachte alleen maar en zei: 'Ja. Ga weg, Spriet. En niet aan mama vertellen.' De bijnaam die ze op de middelbare school had gekregen, was blijven hangen. Scott zorgde er wel voor dat die niet in het vergeetboek raakte. Ze protesteerde altijd, maar hij wist dat ze gekwetst zou zijn als hij zijn koosnaampje voor haar niet meer gebruikte. Ze had groene vingers en een plantenkas, wat de naam nog passender maakte.

Ze kneep in zijn schouders. 'Ik wist het wel. Is ze knap?'

Scott hield zijn vinger bij het Bijbelvers dat hij wilde gebruiken en boog zijn hoofd naar achteren om naar zijn zus te glimlachen. 'Ze is heel mooi,' antwoordde hij ernstig.

Hij had haar niet veel verteld toen hij zijn aanbod om haar mee naar de musical te nemen, had ingetrokken om Jennifer mee te kunnen nemen. Ze was razend nieuwsgierig geweest. Scott genoot ervan en uit zijn grijns maakte ze op dat hij haar opzettelijk niet veel vertelde.

Ze gaf hem een mep op zijn schouder. 'Kom op. Vertel nou eens wat. Anders zeg ik tegen mama dat je gisteravond een afspraakje had.'

'Ik heb Jennifer mee uit eten genomen, we zijn naar een musical geweest en daarna hebben we bij haar thuis koffie gedronken en gepraat. Ik was pas om half twee thuis. Ik vond het een leuke avond en ja, waarschijnlijk zie ik haar nog wel een keer. Is het zo genoeg?'

Ze grinnikte. 'Nog lang niet. Maar de rest mag je me later vertellen. Frank gaat rolschaatsen met de kinderen. Jij zou me op een lunch trakteren.'

'Het is jouw beurt om te trakteren,' protesteerde hij.

'Dan gaan we naar Fred,' antwoordde ze, omdat ze wist dat hij een hekel had aan het saaie eten dat daar op de kaart stond.

Scott zuchtte. 'Als je me gaat chanteren, trakteer ik wel. Waarom hou ik eigenlijk zo van je?'

'Omdat ik twee kinderen heb waar je gek op bent. Daarom moet je wel aardig voor me zijn,' antwoordde ze met een grijns. 'Ik zie je na de kerk. Ik speel vandaag piano.'

'Ik hoop dat je een vinger breekt.'

Ze glimlachte, trok hem aan zijn haar en liet hem met rust, zodat hij zijn les kon voorbereiden.

3

De bel ging precies op het moment dat Jennifer de popcorn met karamel op het bakpapier had gelegd. Ze legde de houten lepel neer en deed de deur open.

'Hallo, Tom.' Ze hield de deur voor haar neefje open.

'Hallo, Jen,' antwoordde hij met een brede grijns. 'Papa heeft bijna de hele winkel leeg gekocht.' Hij droeg een zak vol boodschappen.

Jennifer glimlachte. 'Hij is nog niet veranderd.' Ze zag de koekjes en een zak chips. 'Zet maar in de zitkamer, Tom. Op de salontafel.'

'Goed.'

Peter kwam het tuinpad op lopen. Hij droeg Alexander en Jennifer hield de deur voor hem open. 'Dank je.' Hij liep met zijn slapende zoontje naar binnen. 'Hij viel in slaap zodra we in de auto zaten,' zei Peter zacht.

Jennifer knikte naar haar slaapkamer. 'Loop maar door en leg hem daar maar neer.'

Haar broer knikte en verdween in de gang.

De rozen. Jennifer liep haastig achter Peter aan. Ze had de rozen die Scott haar had gestuurd in haar slaapkamer gezet. Peter zou te veel vragen stellen als hij ze zag.

Peter nam niet de moeite om het licht aan te doen en toevallig stond de deur van de badkamer open die de bloemen op de ladekast gedeeltelijk aan het zicht onttrok. Jennifer hielp om Alexanders sportschoentjes uit te trekken. Peter legde een dunne deken over hem heen.

'Goed.' Peter knikte naar de deur. 'Die ligt lekker.'

Ze liepen de slaapkamer uit en Peter zag de bloemen niet staan.

'Tante Jen, op welk kanaal komt de wedstrijd?'

'Zeventien.' Jennifer glimlachte om de bezorgde uitdrukking op Toms gezicht. 'Het is nog vroeg, Tom. Het begint pas na dit programma,' stelde ze hem gerust. 'Ik heb karamelpopcorn gemaakt. Wil je me even helpen om het uit de keuken te halen?'

Tom stond direct op. 'Tuurlijk.'

Peter pakte drie glazen en deed er ijsblokjes in terwijl Jennifer en Tom de laatste hand legden aan een enorme schaal karamelpopcorn. Peter stak zijn arm voor hen langs om het kleverige, warme mengsel te proeven. 'Lekker, Jen.'

Ze glimlachte. 'Dank je.'

Jennifer gooide hem twee schone handdoekjes toe uit de la onder het fornuis. 'Voor de woonkamer.'

Hij knikte en was zo verstandig een van de handdoekjes nat te maken. Hij legde ze allebei op het presenteerblad dat hij klaarmaakte. 'Hebben we verder nog iets nodig?'

Jennifer legde twee grote lepels op het blad. 'Volgens mij hebben we alles.'

Peter en Jennifer gingen traditiegetrouw op de grond zitten en leunden met hun rug tegen de bank. Tom ging voor de open haard liggen.

'Zijn Rachel en Tiffany samen op stap?'

Peter knikte. 'Die zijn rond half zeven vertrokken.' Hij maakte het pak koekjes open en hield het Jennifer voor. Ze haalde er een koekje uit. 'Ze gingen ijs halen. Tiffany had na lang nadenken besloten dat ze een bekertje met twee bolletjes wilde. Daarna gingen ze naar een voorstelling.'

'Tom, hoe was jouw dag?'

Haar neefje had de sportpagina van de krant gepakt en lag die geconcentreerd te lezen. 'Goed,' antwoordde Tom afwezig.

Jennifer keek naar Peter en ze glimlachten naar elkaar. Tom was een lezer. Een heel zorgvuldige lezer. Er was er altijd wel een in de familie. Jennifer was in de loop der jaren wel socialer geworden, maar kon, net als Tom, volkomen opgaan in wat ze las. 'Tom.' Peter slaagde er uiteindelijk in zijn aandacht te trekken. 'Het is niet beleefd je gastvrouw te negeren.'

'Sorry, tante Jen,' verontschuldigde hij zich.

'Kijk eens op pagina zesentwintig. Daar staat een artikel over de American footballfinale,' zei ze, maar verontschuldigde zich ook omdat ze hem bij het lezen had gestoord.

'O, ja?' Tom sloeg een paar bladzijden om. 'Bedankt.'

De aftiteling van het programma gleed over het scherm. Peter pakte de afstandsbediening en zette het volume harder. Jennifer ging achterover zitten, zette met een glas cola light in haar hand haar knieën tegen de salontafel en maakte het zich gemakkelijk. Het zou vast een mooie wedstrijd worden.

'Mooie sokken, Jen.'

Jennifer bewonderde de felle regenboogkleuren aan haar voeten. 'Die heb ik afgelopen dinsdag voor mezelf gekocht.' *Direct nadat ik een heel dure jurk had gekocht om aan te trekken naar een musical waarvan jij nog niet weet dat ik hem heb gezien.*

De sportpagina werd in de mand gegooid, samen met de rest van het papier. 'Daar heb je Grant,' zei Tom opgewonden.

Het American footballteam speelde in San Diego en het

was daar een mooie avond: een graad of twintig en geen wind. Perfecte omstandigheden voor een wedstrijd.

Het eerste deel van de wedstrijd was teleurstellend. De commentatoren hielden allerlei verhalen over de strategieën van de twee teams, maar Jennifer vond dat er gewoon slecht werd gespeeld. De snacks begonnen op te raken, maar er was weinig opwinding bij het drietal dat naar de wedstrijd keek.

Tom verdween in de rust naar de keuken om te kijken of er ijs was.

'Wil je nog iets drinken?' Peter wees naar het lege glas dat Jennifer in haar hand hield.

Ze gaf het hem. 'Dank je. Laten we hopen dat de rest van de wedstrijd minder slaapverwekkend is.'

Peter glimlachte. 'Wat zeggen de commentatoren over de verwachtingen? Dat lage niet tot teleurstellingen leiden?' Hij gaf haar het bijgevulde glas terug.

'Dat is waar,' gaf Jennifer toe. Ze bracht haar rechterhand naar haar nek en masseerde de gespannen spieren, waardoor de opkomende hoofdpijn afnam.

'Jennifer, geef me dat glas eens terug en draai je eens om.' Peter had het gebaar gezien.

Jennifer gaf hem het glas en draaide zich om naar het vuur. Peter masseerde zacht haar schouders. 'Je hebt weer te hard gewerkt.'

'Hmm.' De massage voelde heerlijk. Peter moest nog een beetje oefenen voordat hij zo goed zou zijn als Jerry, maar hij deed het helemaal niet gek. 'Ik heb vandaag twintig bladzijden geschreven,' zei Jennifer en liet haar hoofd omlaag hangen zodat Peter goed bij haar nek kon.

'Ben je nog steeds van plan een einde aan de serie te maken?'

'Ja.'

'Wanneer ben je voor het laatst bij de dokter geweest, Jennifer? Je hebt steeds vaker hoofdpijn.'

'Vorige maand. Hij zei dat ik niet zo veel moest huilen,' antwoordde Jennifer zacht.

Peters hand gleed langs haar nekwervels. 'Heb je nog steeds slechte nachten?' vroeg hij bezorgd.

Jennifer knikte. 'Niet zo vaak meer, maar inderdaad, ik heb nog steeds slechte nachten,' gaf ze toe. Ze boog voorzichtig haar hoofd naar links en naar rechts. 'Dat is een stuk beter. Dank je, Peter.'

'Graag gedaan.'

'Tante Jen, hebt u nog hagelslag?'

'Kijk maar in het kastje boven de gootsteen, Tom.' Ze keek naar haar broer. 'Hoe kan hij in vredesnaam al die dingen eten zonder misselijk te worden?'

'Ik wil weten hoe hij al die dingen kan eten zonder dik te worden,' antwoordde Peter. 'Hij is een bodemloze put.'

'Wat ben ik?' Tom was terug.

'Een bodemloze put.'

Tom grijnsde. 'Ik ben een jongen die groeit, pap.'

Peter gaf hem een speelse mep. 'Er komt een tijd dat het uit is met de pret. Dan kun je niet ongestraft meer zoveel eten.'

Bij de deur verscheen een slaperig jongetje. Jennifer zag hem het eerst. 'Hoi, Alexander. Kom binnen.'

'Hallo, tante Jenny. Ik was in slaap gevallen.'

'Kom maar naast me zitten,' zei Jennifer en onderdrukte een glimlach. Alexander was hartveroverend als hij net uit bed kwam.

'Ha, kerel.' Peter gaf hem een knuffel en zette zijn zoon tussen hemzelf en Jennifer in. Zachtjes kamde ze zijn haar met haar vingers.

Alexander keek met belangstelling naar het eten en begon wakker te worden. 'Wat heb ik gemist?'

'Niets,' zei Tom, die zich een beetje ergerde aan de slechte prestaties van zijn favoriete team.

Jennifer bood Alexander een koekje aan.

'Mooie sokken, tante Jen,' zei Alexander ernstig.

'Dank je, Alex,' antwoordde Jennifer met een glimlach. Haar neefje droeg zelf blauwe sokken met een heleboel voetballetjes erop. Ze hadden de gewoonte elkaar sokken te geven met Kerst.

De wedstrijd begon weer. Het team dat thuis speelde, deed zowaar een mooie aanval, maar verloor de bal net voor de eindzone. De telefoon ging.

'Ik neem hem wel,' zei Peter en gebaarde naar zijn zus dat ze kon blijven zitten. 'Het zal Rachel wel zijn. Ze zei dat ze zou bellen als ze weer thuis was.' Hij stond op en liep naar de keuken om daar de telefoon aan te nemen.

Hij bleef maar een paar minuten weg. Toen hij terugkwam, leunde hij tegen de deurpost. 'Jennifer, het is voor jou. Een man die zei dat hij Scott heette.'

Jennifer deed even haar ogen dicht. 'Ik neem de telefoon wel in de slaapkamer op,' antwoordde Jennifer, die wist dat ze Peter daar alleen nog maar nieuwsgieriger mee maakte, maar ze wilde alleen zijn. Zodra ze terugkwam, zou hij haar uithoren. Ze duwde Alexander een beetje opzij, zodat ze haar benen onder de salontafel vandaan kon halen en liep langs haar broer heen zonder hem aan te kijken.

In de slaapkamer knipte ze een nachtlampje aan. Ze verzamelde moed en nam de telefoon op. 'Hallo, Scott.'

'Sorry, Jennifer. Het was niet mijn bedoeling je te storen.'

Jennifer viel hem in de rede. 'Mijn broer Peter en zijn zoontjes zijn hier. We kijken alleen maar naar de wekelijkse footballwedstrijd.'

'Wie wint er?' Ze hoorde de opluchting in zijn stem.

'De San Diego Chargers. De 49ers lukt het vanavond niet eens fatsoenlijk samen te spelen. Er is niets aan.'

Scott grinnikte. 'Ik wist niet dat je een footballfan was.'

'Football op maandagavond is bij mij thuis min of meer traditie,' legde Jennifer uit.

'Ik wilde je alleen maar even bellen om hallo te zeggen. Ik ben net klaar met mijn werk en sta op het punt naar huis te gaan.'

'Problemen?'

'Alleen heel veel achterstallig papierwerk,' antwoordde Scott. 'Hoe gaat het met je boek?'

Jennifer trok haar benen op het bed om het zich gemakkelijk te maken. 'Goed. Ik heb vandaag twintig bladzijden geschreven.'

'Je klinkt moe.'

Jennifer glimlachte. Scott was erg opmerkzaam. 'Dat ben ik ook.' Ze stopte een tweede kussen achter haar rug.

Scott, die vijfentwintig kilometer verderop aan zijn bureau zat, tikte zachtjes met zijn pen op een schrijfblok dat voor hem lag. Hij had haar naam op de rand van het blok zitten krabbelen en had uiteindelijk besloten haar te bellen. Hij draaide zijn stoel naar het raam en keek uit over de omgeving. De lichten van de stad waren wazig vanavond.

'Ik wil je een gunst vragen,' zei hij. Eindelijk wist hij hoe het dilemma waar hij voor stond, moest aanpakken. Omdat hij zijn afspraak met Spriet had afgezegd om met Jennifer naar de schouwburg te kunnen gaan, stond hij nu bij zijn zus in het krijt.

'Vertel het eens, Scott.'

'Mijn zus Heather wil je ontmoeten. Zie je het zitten om

volgende week na ons etentje bij haar thuis koffie te gaan drinken?'

Voor sommige dingen had Jennifer een heel goed geheugen. Ze wist nog dat Scott had gezegd dat Heather zwanger was. Kon ze die ontmoeting wel aan? Jennifer wist het eenvoudigweg niet. Maar als ze nee zei, was ze gedwongen te praten over dingen waarover ze nog niet kón praten. Ze dwong zichzelf om haar stem luchtiger te laten klinken dan ze zich voelde. 'Dat is prima, Scott.'

'We blijven niet lang.' Haar aarzeling was hem niet ontgaan. 'Bedankt, Jennifer.' Hij keek op zijn horloge en zag dat hij haar bijna twintig minuten aan de praat had gehouden. 'Je kunt maar beter weer naar de wedstrijd gaan kijken.'

'Bedankt voor je telefoontje.'

Hij glimlachte. 'Ik bel je nog wel, Jennifer. Welterusten.'

'Welterusten.' Voorzichtig legde Jennifer de telefoon neer. Het duurde even voordat ze de moed had zich weer in de woonkamer te wagen.

Alexander was naast zijn broer gaan liggen.

'De 49ers hebben net voor de tweede rust gescoord,' vertelde Tom haar zonder zijn ogen van de televisie af te wenden.

Jennifer glimlachte. 'Mooi zo. Laten we hopen dat ze de Chargers straks helemaal onder de voet lopen.' Ze ging weer naast Peter op de grond zitten. Peter gaf haar haar glas terug.

'Wie is hij?' vroeg hij zacht.

Jennifer wist dat hij geen ontwijkend antwoord zou accepteren en als ze eerlijk was, moest ze toegeven dat ze het fijn vond dat Peter er was en zich met haar bemoeide, al was het in dit geval niet nodig. 'Een vriend. We zijn gisteravond uit eten geweest en daarna naar een musical.'

'Wie is hij?'

'Hij heet Scott Williams. Hij runt een elektronicabedrijf.'

'Waar heb je hem ontmoet?'

'Op het strand toen ik een wandeling maakte.' Wie A zei, moest ook B zeggen. 'Vorige keer heeft hij een ontbijt voor me klaargemaakt.' Het was duidelijk dat Peter die informatie even moest verwerken. Jennifer boog zich naar hem toe en legde haar hand op zijn arm. 'Maak je maar niet bezorgd. Je zou hem aardig vinden. Hij is actief in zijn kerk en vrijgezel. Het is een leuke man. Hij heeft nu alle Thomas Bradfordboeken gelezen. We zijn vrienden.'

'Vind je hem leuk?'

Jennifer knikte en het verbaasde haar hoe waar het antwoord was. 'Ja, heel erg.'

'Weet hij van Jerry en Colleen?'

Jennifer wendde haar blik af. 'Hij weet van Jerry,' antwoordde ze.

Peters hand raakte haar arm aan. Hij glimlachte verontschuldigend. 'Sorry dat ik mijn neus in jouw zaken steek.'

'Dat geeft niet. Ik heb het uitgesteld om je over hem te vertellen.'

'Dat merk ik,' zei Peter droog. 'Kon je daarom zaterdag niet blijven eten?'

Ze knikte.

Peter knikte naar de andere kamer. 'Heeft hij je weer mee uit gevraagd?'

Jennifer grinnikte. 'We hadden al een datum afgesproken, lieve broer. Dat was alleen maar een telefoontje om even hallo-hoe-is-het te zeggen.'

'Kost het je een halfuur om hallo te zeggen? Je hebt toch zo'n hekel aan telefoneren?'

Jennifer sloeg hem met een kussen dat ze van de bank trok. 'Ja, en hou nou maar eens op,' beval ze grijnzend.

'Ik kan niet wachten tot ik het Rachel kan vertellen.'

Jennifer kreunde. 'Waag het niet om alles uitgebreid uit de doeken te doen. Ze vermoedt toch al iets.'

'Heb je het Beth al verteld?'

'Ben je mal? Die gaat gelijk een bruidsmeisjesjurk kopen.'

'Je zult het onder ogen moeten zien, Jennifer. Je bent omringd door serieuze koppelaarsters.'

'Als jij je maar niet bij hen aansluit,' waarschuwde Jennifer.

Peter lachte. 'Wanneer ontmoet ik hem?'

'Nooit,' mompelde Jennifer binnensmonds.

'Wat?'

'Dat weet ik niet,' antwoordde ze. De wedstrijd begon weer en gaf haar uitstel. De 49ers wonnen uiteindelijk, maar behaalden de overwinning pas in de laatste seconden.

Alexander lag weer te slapen. Zelfs Tom dutte in. De karamelpopcorn was voor driekwart op, omdat Jennifer en Peter tijdens het laatste deel van de wedstrijd flink hadden toegetast. Peter stond langzaam op terwijl de commentatoren de wedstrijd evalueerden. Jennifer begon de overgebleven chips, dipsaus en zoute crackers in te pakken. Als ze het bij haar achterlieten, zou ze alles alleen opeten. Hoewel haar huisarts erop had aangedrongen dat ze vijf kilo zou aankomen, had ze niet het idee dat hij dit in gedachten had. Tom hield de zak voor haar op. 'Dank je, Tom.'

'Alex, het is tijd om naar huis te gaan, jongen.' Peter maakte zijn zoon voorzichtig wakker. Alex stond met tegenzin op. 'Wie heeft er gewonnen?'

'De 49ers,' antwoordde Peter. Alex kon zijn ogen niet open houden. Peter tilde hem op. 'Ik ben zo terug, Jennifer. Ik ga hem eerst even in de auto zetten.'

Jennifer knikte. 'Tom, kun jij het licht bij de voordeur voor je vader aandoen?'

Nadat ze de glazen op het dienblad had gezet, kostte het haar maar een paar minuten om de kamer op te ruimen. Jennifer bracht het blad naar de keuken.

'Bedankt voor de gastvrijheid, Jennifer.'

Ze glimlachte naar haar broer. 'Zelfde tijd volgende week?'

Hij glimlachte. 'Afgesproken. Dan vraag ik of Tom me helpt om ijs te maken.'

Jennifer kreunde. 'Ik zit zo vol dat dat niet eens lekker klinkt.'

Peter keek naar de schaal met popcorn. 'We zijn een heel eind gekomen,' beaamde hij. 'Laat het me weten als je weer van Scott hoort.'

Ze duwde hem naar de deur. 'Hup, naar huis, Peter.'

De telefoon ging terwijl ze zich klaarmaakte om naar bed te gaan.

'Wat hoor ik nou? Ben je met iemand uit geweest?'

Jennifer ging op het bed zitten. 'Ook goedenavond, Rachel.'

Rachel lachte. 'Sorry. Wie is hij, Jennifer?'

Jennifer leunde tegen het hoofdeinde en gebruikte de kussens om het zich gemakkelijk te maken. Ze vond het een prettig gevoel om te praten met iemand van wie ze wist dat die het hele verhaal prachtig zou vinden. 'Wil je een samenvatting of het hele verhaal?'

'Peter brengt de jongens naar bed. Geef me het hele verhaal.'

'Ik was aan het wandelen op het strand. Hij groette me en ik schrok me wezenloos, want ik had hem niet gezien. Je weet hoe snel ik schrik als ik moe ben. Het was de ochtend nadat ik mezelf dat blauwe oog had bezorgd. Hij trok de overhaaste conclusie dat ik was mishandeld of iets dergelijks, want later heeft hij blijkbaar de moeite genomen om me op te sporen.'

'Heb je dan niet uitgelegd wat er was gebeurd, Jennifer?'

'Ik vond dat het hem niet aanging. Ik had die man net ontmoet.' Ze glimlachte. 'Het verhaal wordt nog mooier. Hij kwam erachter dat ik schrijf en nam op de een of andere manier contact op met Ann, want die gaf me de boodschap dat er een man was die probeerde met me in contact te komen. Ze gaf me het bericht dat hij had achtergelaten en ik kon wel door de grond zakken. Zijn boodschap was: "Kom bij me logeren."'

'Lieve help.'

Jennifer lachte. 'Ik ging terug naar het strand, omdat ik verwachtte dat hij daar elke ochtend om dezelfde tijd wandelde. En ja, hoor, ik kwam hem weer tegen. Nadat ik hem had uitgelegd wat er in werkelijkheid was gebeurd, ontbeten we samen en nodigde hij me uit voor een etentje en een musical. Het was leuk.'

Rachel viel haar in de rede. 'Wacht even, Jennifer, ik probeer nog te verwerken dat je met hem hebt ontbeten.'

Jennifer grinnikte. 'Ik vind hem leuk.'

'Dat merk ik. Hoe ziet hij eruit?'

'Bijna een meter negentig. Bruin haar. Blauwe ogen. Hij is achtendertig, atletisch en hij heeft heel expressieve ogen.'

'Zie je hem nog een keer?'

'Volgende week donderdag gaan we uit eten,' antwoordde Jennifer.

'Nou, ik ben blij dat je weer eens met iemand uitgaat.'

'We beginnen goede vrienden te worden, maar meer wordt het niet, Rachel. Jerry en Colleen vormen nog zo'n groot deel van mijn leven dat ik op dit moment niet serieus een plek kan inruimen voor iemand anders. Dit is geen goed moment.'

'Weet je dat wel zeker, Jennifer? Hij klinkt volmaakt.'

Jennifer grinnikte. 'Niemand is volmaakt. Zelfs Jerry niet,' gaf ze toe.

'Peter zegt dat ik moet ophangen.'

Jennifer lachte. 'Ik had tegen hem gezegd dat hij het je niet mocht vertellen.'

'Alsof jouw broer ooit geheimen heeft kunnen bewaren,' antwoordde Rachel. 'Trouwens, ik heb hem onder druk gezet. Hij had opdracht uit te zoeken waar je zaterdagavond was geweest. Ik probeerde je te bellen, maar je was er niet.'

'Bedankt, vriendin. Ik bel je nog wel.'

'Slaap lekker, Jennifer.'

Glimlachend boog Jennifer zich voorover om de telefoon op te hangen.

Ann zou woedend zijn. Jennifer liet de map naast zich op het bed vallen. Ze draaide zich op haar rug en kreunde terwijl ze zich in haar vermoeide ogen wreef. Het was twee uur 's nachts. Ze had haar verhaal uitgeprint en mee naar bed genomen, zodat ze het helemaal kon doorlezen om te zien aan welke gedeelten ze nog moest werken. Het verhaal was goed en Thomas Bradley was onmiskenbaar dood. Ze moest Ann waarschuwen voor wat er ging komen. Haar uitgever had al bedacht dat haar serie over twee delen op de bestsellerlijst terecht zou komen en dat de vraag naar alle boeken van de serie dan een hoge vlucht zou nemen. Ze zouden het niet leuk vinden als ze een boek kregen dat een einde aan de serie maakte.

Misschien zouden ze het niet eens uitgeven.

Dat was een mogelijkheid waarover ze moest nadenken.

Maar de boeken verkochten goed en zelfs nu brachten ze een mooi bedrag in het laatje. Als haar uitgever haar boek niet wilde, wist Jennifer dat het Ann geen moeite zou kosten om het boek door iemand anders te laten uitgeven. Geld was geld.

Het ironische was alleen dat dit boek verreweg het beste van de serie was.

Jerry, waarom moest je sterven? Ons tienjarenplan zou gewerkt hebben. Nu ga ik helemaal opnieuw beginnen. Ik mis je, Jerry.

4

Waar was bladzijde 325? Het was vrijdagavond, bijna zeven uur. Jennifer had vanaf zeven uur die ochtend haar boek zitten redigeren. Haar ogen brandden, haar keel deed pijn, doordat ze de bladzijden hardop had gelezen en ze had honger. Ze was niet in de stemming om naar een ontbrekende pagina te zoeken. Ze bladerde door de volgende veertig bladzijden in haar map. Bladzijde 326, maar geen bladzijde 325. Het blad van haar bureau was niet te zien, maar ze had er 's morgens wel aan zitten werken. Ze deed de voetensteun van haar fauteuil omlaag en ging op haar bureau zoeken. Ze schrok van de telefoon die ging en stootte haar knie aan een openstaande lade. Ze mompelde iets onverstaanbaars, wreef over de pijnlijke plek en greep de hoorn. 'Hallo?' Een zware map dreigde van haar bureau te glijden en ze deed er een greep naar.

'Wat is er aan de hand?'

Scott. 'Ik heb mijn knie gestoten tegen de la, ik ben bladzijde 325 kwijt en ik heb zo lang zitten lezen dat ik scheel kijk,' antwoordde ze terwijl ze de map naar zich toe trok en hem dichtsloeg. Ze zette hem op de plank.

'Au. Leg maar ijs op die zere plek, probeer je ogen een tijdje dicht te houden en kun je bladzijde 325 opnieuw uitprinten?'

Jennifer lachte. 'De printer staat ergens onder een stapel boeken,' antwoordde ze, 'maar dat was ik al van plan. Waar zit jij?'

'Nog op kantoor. Heb je al gegeten?'

'Nee, en ik ben uitgehongerd. Ik heb tussen de middag vergeten te eten. Ik schoot lekker op tot ik ontdekte dat bladzijde 325 verdwenen was.'

'Heb je zin in Chinees? Dan haal ik wel iets.'

'Dat lijkt me heerlijk,' antwoordde Jennifer, geroerd door het aanbod.

'Mooi. Ik zie je over een halfuur.'

Jennifer haalde haar spullen van de printer af en printte de ontbrekende pagina opnieuw uit. Toen aarzelde ze. Ze wist dat ze op zijn minst een deel van de rommel zou moeten opruimen omdat Scott kwam, maar wilde ook geen tijd verliezen. Uiteindelijk besloot ze dat het boek belangrijker was. Ze was helemaal in de ban van een achtervolgingsscène toen de bel ging. Ze gaf met een rode pen aan waar ze was gebleven en ging toen de deur open doen. 'Waar wil je dit hebben?' vroeg Scott met een glimlach. Ze glimlachte terug en was blij hem te zien.

'Op de ronde tafel in het kantoor,' antwoordde ze en wees welke kant hij op moest.

'Het begint koud te worden buiten,' merkte Scott op terwijl ze het kantoor binnenliepen. Hij zette de twee zakken op de tafel en keek belangstellend de kamer rond. Het was een grote ruimte. De muren waren bedekt met boekenplanken, op het bureau stond een nieuw model computer en aan het einde van de kamer stonden werktafeltjes die bezaaid lagen met documenten, kranten, tijdschriften en mappen. Het was een prettige kamer met een lange, pluchen bank en een vrij uitzicht op de grote achtertuin. De ringbanden op de plank bij haar bureau waren acht centimeter dik en hij herkende de handgeschreven opschriften op de rug van de mappen als de titels van haar boeken. Er zaten zelfs een paar titels bij die hij niet herkende. Toekomstige boeken?

Jennifer pakte haar lege glas. 'Wat wil jij drinken, Scott? Ik heb koffie gezet en er is fris.'

'Het maakt me niet uit.'

Jennifer liep door het huis naar de keuken, vulde haar eigen glas bij uit een geopende tweeliterfles met frisdrank en zocht een glas voor Scott.

'Waar kan ik vorken, lepels en borden vinden?' vroeg Scott, die kwam aanlopen.

'In de bovenste la naast het fornuis ligt bestek. Recht daarboven staan de borden.'

Jennifer droeg de glazen en liep voor Scott uit terug naar het kantoor. 'Wat heb je meegebracht?'

Hij begon de bakjes uit de zakken te halen. 'Ku lu yuk, gebakken rijst, rundvlees Hunan, kip met cashewnoten. Je mag kiezen of alles proeven.'

'Het klinkt allemaal lekker.' Voorzichtig maakte ze het bakje rijst open. Scott gaf haar een van de lepels. 'Dank je.' Ze schepten beiden hun borden vol. 'Ik wist niet dat ik zo'n honger had,' zei Jennifer terwijl ze het rundvlees Hunan proefde.

'Ik had een vergadering tijdens de lunch en ik heb zo veel zitten praten dat ik geen tijd had om te eten,' bekende Scott.

Jennifer duwde het flexibele bakje naar hem toe. 'Proef eens een wantan. Ze zijn heerlijk.'

Toen haar ergste honger was gestild, leunde Jennifer achterover in haar stoel. 'Dit bevalt me uitstekend.'

Scott glimlachte. 'Het is beslist gezelliger dan alleen eten.'

'Waarom was je zo laat nog aan het werk?'

'Problemen bij de verscheping. Als er moeilijkheden met een productielijn zijn, vraagt Peter mij meestal om dat op te lossen. Logic Partners is al een paar jaar een goede klant. Ze plannen goed en laten het ons van tevoren weten als ze van plan zijn een grote bestelling te doen. Ze vinden het belangrijk hun spullen snel te krijgen. Voor de bestelling die we vandaag hebben gekregen, moest de levertijd met tien weken worden verkort. En we wisten niet dat we hem zouden krijgen. Iemand heeft zijn werk niet gedaan. Peter denkt dat de sales manager wel is gebeld, maar dat hij het niet heeft doorgegeven, zoals hij had moeten doen. Het wordt een hele toestand om de zaak in goede banen te leiden.'

'Geen goede dag.'

Hij leunde achterover in zijn stoel. 'Deze dag was een gemene, lage effectbal uit het linkerveld.'

Jennifer grinnikte. 'Zoek wat mooie muziek op en ga lekker op de bank zitten, Scott. Ontspan je.' Ze pakte haar glas en liep terug naar de leunstoel.

'Dat klinkt goed.' Hij liep naar de stereo en zette de radio aan.

'Als je even zoekt, vind je misschien het verslag van de wedstrijd van de Chicago Bulls. Die spelen tegen de Pistons vanavond,' stelde Jennifer voor.

'En jij gaat daar niet naar luisteren?' plaagde Scott haar.

Jennifer stak haar hand op. 'Ik heb alleen verstand van American football. Een honkbalwedstrijd kan ik ook nog wel volgen op de radio, maar basketbal gaat me altijd boven mijn pet.'

Scott grinnikte. Hij hoorde dat haar voorkeurzender op een jazzstation was afgestemd.

'Mooi,' zei Jennifer. Ze was alweer aan het werk.

Scott ging in de keuken nog wat frisdrank halen. Toen hij terugkwam, legde hij de vier boeken die op de bank lagen op de grond en ging er languit op liggen. 'Hier was ik echt aan toe.'

Jennifer glimlachte. 'Wil je zeggen dat je moe bent?'

Scott had zijn ogen al dicht. 'Uitgeput is een beter woord.'

Jennifer glimlachte terwijl ze nog een woord wegstreepte. Ze luisterde naar het boek terwijl ze las en stemde de woorden op elkaar af als een concertviolist die zijn instrument stemde. Ze werkte bijna drie kwartier in stilte en legde bladzijde na bladzijde op de geredigeerde stapel. Afwezig kauwde ze op het plastic dopje van haar pen terwijl ze een moeilijke passage las. 'Scott, ligt dat boek over tropische eilanden daar?' Ze wist dat hij nog wakker was omdat hij net de twee kussens had verschoven.

Hij doorzocht de stapel boeken naast de bank. 'Hier.' Hij schoof het over het tapijt naar haar toe.

'Dank je,' zei ze met haar aandacht nog steeds bij het verhaal. Ze vond in het naslagboek een bladzijde waar ze eerder die dag een paperclip op had geschoven. Ze fronste haar wenkbrauwen. Ze had weer iets verkeerd beschreven. Jennifer veranderde de beschrijving in het verhaal. Hoeveel fouten had ze in dit boek al over het hoofd gezien? Het was geen prettige gedachte.

'Wat is er?'

'Ik ben de hoofdstukken die ik tot nu toe heb geschreven aan het herlezen en ik kom een paar tegenstrijdigheden tegen. Ik heb aardrijkskundeles nodig,' antwoordde Jennifer abrupt omdat ze weer op een fout was gestuit. Ze stond kreunend op en liep naar haar bureau. Ze opende het bestand waarin het volledige manuscript stond en zocht naar het woord *eiland*. Dertig zoekresultaten. Ze masseerde de spieren van haar nek, die gespannen begonnen te raken. 'Hier zat ik niet op te wachten.' Met een zucht printte ze een lijst uit van de bladzijden die ze moest nakijken.

'Kan ik je helpen?'

'Ja.' Jennifer sloeg het aanbod niet af. Ze pakte de lijst, haalde de map en haalde daar snel de betreffende bladzijden uit. 'Zoek naar beschrijvingen van het eiland en zorg dat ik de windstreken goed noem. De Montgomeryberg ligt nu zowel ten noorden als ten zuiden van de hoofdstad. Hier,' ze gaf hem haar rode pen, 'die zul je nodig hebben.'

Scott knikte. Hij keek hoe ze naar haar stoel terugliep en haar glas pakte. 'Ik kom zo terug.'

Ze was kwaad op zichzelf. Scott grinnikte bijna toen hij haar nakeek terwijl ze de kamer uitliep, maar hij hield zich nog net op tijd in. Het leek erop dat alle kunstenaars een beetje grillig waren; zijn hardwareontwerpers gedroegen zich ook zo.

Jennifer kwam een paar minuten later terug en liet zich in de leunstoel vallen. Ze pakte de ringband op, maar bedacht zich en liet hem weer op de grond vallen. Ze begon dit boek flink zat te worden. Ze voelde zich te onrustig om te blijven zitten. Jennifer stond op, raapte de boeken naast haar stoel op en begon ze op de planken terug te zetten, samen met de naslagwerken die ze in de loop van de dag had gebruikt.

'Je hoeft maar drie gedeelten te veranderen,' zei Scott een paar minuten later.

'Is dat alles?' Ze draaide zich om en keek hem duidelijk opgelucht aan.

Hij glimlachte. 'De drie bladzijden die bovenop liggen.'

Jennifer nam de stapel van hem aan. Ze schoof paperclips op de bladzijden en sloeg de ringband open om ze daarin te doen.

'Wat ik gelezen heb, vind ik goed, Jennifer.' Scott wist niet welk commentaar in goede aarde zou vallen. Jennifer en haar schrijverij waren een combinatie waar hij maar moeilijk hoogte van kon krijgen.

Ze liet de ringband op zijn schoot vallen. 'Een boek is pas

begrijpelijk als je bij bladzijde één begint.'

Scott keek naar de map en toen weer naar Jennifer. Meende ze dit? Intuïtief wist hij dat niet veel mensen dit voorrecht kregen.

Ze haalde haar schouders op. 'Ik ben verslagen. Dat wil zeggen, ik hou ermee op voor vanavond. Maar je mag het lezen op voorwaarde dat je geen commentaar geeft,' waarschuwde ze.

Hij glimlachte. 'Ook niet als ik het goed vind?'

'Zelfs niet als je het goed vindt. Misschien haal ik je favoriete passage er morgen wel uit omdat ik hem niet goed vind,' antwoordde ze glimlachend.

'Goed dan.' Scott ging achterover op de bank zitten en sloeg de ringband open. Jennifer verdween naar de woonkamer en kwam terug met haar naaimand. Ze werkte aan een rozenquilt met vierkante blokken die ze Rachel voor Kerst wilde geven.

Jennifer keek hoe Scott langzaam de bladzijden van het boek omsloeg en probeerde uit zijn gezichtsuitdrukking op te maken wat hij dacht. Het lukte haar niet. Ze concentreerde zich op haar naaiwerk.

Een halfuur verstreek. Jennifer hechtte haar roze draad af. Ze stak de fijne naald in het speldenkussen dat bovenop de naaimand was vastgemaakt en zocht naar mosgroen garen. Het einde van de draad was rafelig. Jennifer stak hem even in haar mond en rolde hem toen tussen haar vingers heen en weer om ervoor te zorgen dat de vezeltjes goed aan elkaar hechtten. Daarna pakte ze de naald weer en draaide hem langzaam rond tot ze het kleine oogje vond. Met vaste hand stak ze bij de eerste poging het garen in de naald.

Ze hoorde het geritsel van bladzijden die werden omgeslagen.

Ze begon de steekjes te maken die de omtrek van de blaadjes zouden vormen.

Jennifer maakte het blok waaraan ze werkte af en haalde het voorzichtig uit de borduurring. Ze keek een paar minuten naar Scott. Ze had hem nog nooit zo ernstig zien kijken. De uitdrukking op zijn gezicht maakte haar nerveus. Ze pakte een nieuw vierkantje uit de naaimand en klemde het witte lapje met zorg zo in de ring dat het rozenpatroon in het midden zat. Ze dwong zichzelf zich op haar werk te concentreren en niet op Scott.

Het nieuws van tien uur klonk op de radio. Scott legde zijn vinger op de bladzijde om aan te geven waar hij gebleven was en keek toen even op. 'Blijf je voor mij op?'

'Ik ben een avondmens, Scott. Ik ga meestal pas om één uur naar bed.'

Hij knikte en las verder.

Toen de avond verstreek en Scott maar bleef lezen, begon Jennifer zich erg schuldig te voelen. Ze had hem het boek niet zo laat moeten geven. Hij was al moe. Hij zou heel laat thuiskomen. Hij las uit beleefdheid het hele boek. Haar schuldgevoel groeide met de minuut.

'Scott, het is twaalf uur.'

Hij keek niet op. 'Weet ik.'

Als hij het boek nu eens niet goed vond? De gedachte maakte haar misselijk. Hij keek... onvriendelijk. Het boek was heel anders dan de andere boeken in de serie en het was nog steeds een ruwe versie, zelfs nu ze het had geredigeerd. Hij had het bijna uit. Jennifer deed niet meer alsof ze niet wilde weten wat hij dacht. Ze wilde zijn mening wanhopig graag horen. Ze legde haar naaiwerk neer, stond op en liep de kamer door en ging naast hem op de bank zitten.

Hij sloeg de laatste bladzijde die ze geschreven had om en sloeg de ringband langzaam dicht. Hij keek niet naar haar, zei niets.

Scott had het gevoel dat zijn hart zojuist uit zijn lichaam was gerukt. In ieder boek zat wel iets van de schrijver. Maar in dit boek, dat nog geen titel had, zat zoveel van Jennifer dat hij niet wist wat hij ermee aan moest. De plot was eenvoudig. Een moord. Een weduwe gaf Thomas Bradford opdracht uit te zoeken wie haar man had vermoord en waarom. Het verhaal was boeiend, goed geschreven, geloofwaardig en hier en daar zelfs humoristisch.

De weduwe in het verhaal liet hem niet los. Ze was een bijfiguur. Ze introduceerde het mysterie en voorzag Thomas Bradford van een voor de hand liggende persoon om de zaak mee te bespreken. Haar verdriet, haar eenzaamheid en haar gevoel stuurloos in het leven te staan, weerspiegelden Jennifer. De sterke behoefte van de weduwe om te begrijpen waarom haar man was gestorven, was als een rode draad door het hele boek heen geweven.

Het verhaal was zo levendig verteld, dat Scott het gevoel had dat hij het zelf had meegemaakt.

'Scott? Was het zo slecht?' fluisterde Jennifer ten slotte, bang voor zijn oordeel, maar nog banger voor onzekerheid.

Scott draaide zijn hoofd naar haar toe. Jennifer begreep de emoties niet die ze zag.

'Dit is het beste verhaal dat je ooit hebt geschreven,' stelde hij haar zacht gerust.

'Echt waar?'

'Ja.' Hij pakte haar handen. 'Kom hier.' Hij trok haar zacht naar zich toe en drukte haar voorzichtig tegen zijn borst. Haar handen gingen uit eigen beweging naar zijn krachtige bovenarmen.

'Ik was bang dat je het niet goed vond.'

'Ik vind het wel goed.' Jennifer, die haar hoofd tegen zijn borst had gelegd, voelde de woorden. Het was zo fijn om vastgehouden te worden. Scott zweeg een poosje. Jennifer begon zich langzaam steeds meer op haar gemak te voelen in zijn armen en ontspande zich.

'Het spijt me dat ik niet begreep hoe je Jerry nog steeds mist.'

Jennifer verstrakte.

Scotts handen schoven van haar middel naar haar rug en masseerden die zachtjes. 'Het staat er allemaal in, Jennifer. De boosheid, het verdriet, het gevoel stuurloos te zijn. De een- zaamheid.'

Ze keek niet naar hem op. 'Het is fictie.'

'Nee, dat is het niet.'

Jennifer besloot ten slotte zich niet langer voor hem te verstoppen. 'Dat is het niet,' gaf ze zachtjes toe. Ze zuchtte. 'Ik heb de emoties zelfs nog afgezwakt.'

Zijn handen gingen naar haar gespannen schouders. 'Vertel me eens over de dag dat Jerry stierf.'

'Peter, wat ben je vroeg terug!' Jennifer keek even om toen ze voetstappen hoorde en richtte haar aandacht toen weer op de oven. 'Konden jullie geen baan krijgen?' Ze zette het bakblik neer dat ze uit de oven had gehaald en pakte een spatel. 'Is Jerry de auto aan het wegzetten? Ik heb hem beloofd dat hij de eerste koekjes krijgt.'

'Jennifer.' Toen ze de gebroken stem van haar broer hoorde, keek Jennifer op. Ze legde de spatel neer. 'Wat is er, Peter?' vroeg ze en de angst sloeg haar om het hart.

'Jerry.'

Ze leunde tegen het aanrecht om steun te zoeken en brandde haar vinger toen die het bakblik raakte.

'Hij heeft een hartaanval gehad, Jennifer. Hij is dood.'

Aan het krijtwitte gezicht van haar broer zag ze hoe geschokt hij zelf was.

Hij kon het onmogelijk over Jerry hebben. Ze hadden kaartjes voor een concert vanavond. 'Naar welk ziekenhuis brengen ze hem? Ik moet erheen.' Jennifer trok haar tas naar zich toe. 'Memorial? Lake Forest? Candell? Waar zijn mijn autosleutels? Ik heb mijn autosleutels nodig.'

Haar broer greep haar bij haar schouders. 'Jennifer, er waren twee artsen bij toen hij in elkaar zakte. Ze konden niets meer voor hem doen. Jerry zakte in elkaar toen we door de gang naar de kluisjes liepen. We zouden ons gaan verkleden om te gaan squashen. Hij was direct dood.'

Zijn woorden begonnen tot haar door te dringen. Een snik welde in haar op. 'Dat moet je niet zeggen. In welk ziekenhuis ligt hij?'

Peter schudde haar zacht door elkaar. Zijn eigen angst kleurde zijn ogen bijna zwart. 'Heather is onderweg en dominee Kline ook. Niet instorten, Jennifer. Denk aan Colleen.'

'God, dit kunt U niet doen!' De schreeuw kwam diep uit haar keel.

Peter hield haar stevig vast. 'Jerry hield van je. Dat moet je niet vergeten, lieverd.'

'Hoe kan hij dan zomaar weggaan?' Jennifer gilde bijna. 'Als hij van me hield, zou hij niet weggaan. Hij heeft geen afscheid genomen, Peter.' Ze jammerde nu. 'Hij heeft geen afscheid genomen.'

De tranen begonnen ongecontroleerd te stromen. 'Peter, nu zal hij Colleen niet zien. Wat moet mijn kleine meisje zonder vader?' Haar smart uitte zich in hartverscheurende snikken. 'Nu groeit ze op zonder vader. Jerry wilde zo graag zijn dochtertje in slaap wiegen in die schommelstoel die hij heeft gekocht.'

Peters tranen voegden zich geluidloos bij de hare. 'Ik weet het, Jennifer. Ik weet het.'

Jennifer vertelde Scott het deel van het verhaal dat ze kon

verwoorden zonder in tranen uit te barsten.

Vertel hem over Colleen. Het verlangen was er wel, maar de moed ontbrak. Ze zou haar tranen niet kunnen bedwingen en ze wilde niet huilen in het bijzijn van deze man, vanavond niet.

'Ik voelde me... verdoofd. Ik denk dat dat het beste woord is. Er kwamen veel mensen die avond. Mijn broer en zijn vrouw.Vrienden van de kerk waar Jerry en ik heen gingen. Beth en haar man Les kwamen die avond laat nog. Ik was moe tegen de tijd dat het avond werd. Het drong niet goed tot me door dat Jerry niet thuis zou komen.'

Jennifer keek naar haar vinger, die de patronen op Scotts shirt natrok. 'Peter regelde alles voor me. Hij had een jaar daarvoor ook alle details afgehandeld toen onze ouders waren omgekomen.'

Scott streek voorzichtig haar haar uit haar gezicht. 'Wanneer begon het tot je door te dringen dat Jerry niet meer terugkwam, Jennifer?'

'Toen ik hem in die doodskist zag.' Haar stem brak. 'We gingen vroeg afscheid nemen, voordat de andere mensen kwamen. Het was de eerste keer dat ik hem zag sinds de ochtend dat hij was weggegaan.' Jennifer was niet sterk genoeg om hem de rest te vertellen. *Het laatste wat hij tegen me zei was: 'Zorg goed voor Colleen.' Hij gaf me een kus en vertrok toen met Peter.*

Ze haalde diep adem. 'De begrafenis was moeilijk. Ik was uitgeput tegen die tijd. Ik deed wat er van me werd verwacht, maar niets ervan raakte me werkelijk. Ik herinner me niet hoe de uitvaartdienst was. Ik herinner me wel de anjers en de chrysanten. Ik haat de geur van die bloemen nu,' zei ze heftig. *En ik was misselijk. Door de spanning kwam mijn ochtendmisselijkheid zo sterk terug dat ik niets kon binnenhouden. De artsen wilden me laten opnemen in het ziekenhuis, maar daar verzette ik me tegen.*

'Ik herinner me dat ik bij het raam stond de eerste avond dat iedereen was vertrokken en het huis stil was. Na een uur besefte ik dat ik stond te wachten tot Jerry thuiskwam. Ik ging alleen naar bed en lag naar het plafond te staren tot het tijd werd om op te staan.' Ze glimlachte vreugdeloos. 'Ik dacht dat het onmogelijk was om een maand lang te huilen, maar ik kwam erachter dat ik het mis had.'

Scott sloeg zijn armen steviger om haar middel. Jennifer sloeg een jaar in het verhaal over, vastbesloten niet over die tijd te praten. 'Toen het eerste jaar eenmaal voorbij was, werd het gemakkelijker om thuis te komen in een leeg huis.'

'Je besloot er te blijven wonen?'

'Ja. Peter en Heather wilden dat ik bij hen kwam wonen, maar dat aanbod heb ik afgeslagen. Ik voelde me eenzaam in dit huis, maar het was toch mijn thuis. Kleine dingen die Jerry en ik hadden gedaan om het onze stek te maken, de voederhuisjes voor de vogels, de hangmat waar we altijd in lagen. Ik kan niet weg van deze plek.'

Scott wreef met zijn kin over haar kruin. 'Ik vind het heel erg voor je dat je je man hebt verloren, Jennifer. Zo te horen was hij een goed mens.'

Ze knikte. 'Ik denk dat je hem aardig had gevonden.'

Scott raakte voorzichtig de donkere kringen onder haar ogen aan. 'Je mist hem nog steeds erg, hè?'

'Ja.' Jennifer maakte zich los uit zijn armen en ging tegen de rugleuning van de bank zitten. 'Ik begrijp het niet, Scott. Maar ik denk nu meer aan Jerry dan een jaar geleden. De herinneringen zijn sterk, soms bijna pijnlijk, en ze zijn zo helder.'

'Komt dat door je boek?'

'Misschien. Toen ik uiteindelijk het boek af had waar Jerry en ik samen aan hadden gewerkt voordat hij stierf, zat ik midden in mijn ik-ben-kwaad-op-je-fase. Ik was heel depressief. Waarom had het leven het lef gehad te veranderen? Toen ik aan dit boek begon, was ik daar overheen. Toen ik dit boek begon te schrijven, was ik aan het leren hoe ik een nieuw leven zonder Jerry moest leiden. Als mijn leven niet ophield, hoe wilde ik het dan leven als ik alleen was? Ik blijf maar aan het verleden denken, hoe goed het was, hoeveel plezier we samen hadden. Ik zie in de toekomst niets dat zich kan meten met het verleden en het is heel gevaarlijk om in die toestand te verkeren.'

'Je hield van je man,' antwoordde Scott begrijpend.

Jennifer glimlachte. 'Heel veel.' Ze zuchtte. 'Als je echt van iemand houdt, betekent dat dat je bereid bent hem eerst te laten sterven. Dat was de moeilijkste les die ik ooit heb moeten leren.' Jennifer wreef over haar ogen.

Jerry, ik hoop dat je ervan geniet om je dochter vast te houden. Ik heb je in de steek gelaten. Ik heb Colleen in de steek gelaten. En God heeft mij in de steek gelaten. Eén eenvoudig gebed maar, God... Waarom kon U dat ene, specifieke gebed niet verhoren?

'Scott, het is al laat. Kun je niet beter naar huis gaan?'

Scott zag het verdriet nog in haar ogen. Hij wist dat ze het onderwerp afsloot voordat ze hem er alles over had verteld. Maar aandringen zou geen goed doen. Dat zou alleen nog maar meer verdriet veroorzaken; hij wilde haar pijn verzachten, niet erger maken. Er zouden nog wel meer avonden komen. 'Ja, dat denk ik wel.' Zacht raakte hij Jennifers hand aan. 'Bedankt, Jennifer.'

Ze glimlachte. 'Volgens mij moet je weggaan en over een jaar weer terugkomen.'

Hij glimlachte terug. 'Volgens mij niet,' antwoordde hij ernstig.

Hij legde zijn hand op de ringband terwijl hij opstond.

'Bedankt dat ik je boek mocht lezen. Ik vond het echt heel goed.'

Jennifer stond ook op. 'Daar ben ik blij om.' Ze bracht het boek naar haar bureau.

Samen liepen ze door het stille huis naar de voordeur. 'Gaat ons etentje donderdag nog door, Jennifer?'

Ze knikte. 'Ja.'

Hij glimlachte. 'Mooi zo. Ga nu dan maar slapen.'

'Doe ik. Rij voorzichtig, Scott.'

Jennifer deed de deur achter hem dicht en leunde er toen vermoeid tegenaan. De emoties over wat ze hem niet had verteld, uitten zich in twee losse tranen die over haar wangen rolden.

'God, help me.'

Het gebed was gebroken en pijnlijk. Er zaten zoveel emoties onder de oppervlakte. Ze was doodsbang voor Scotts reactie als hij haar verdriet zou zien. Ze kon het nog aan niemand laten zien. Niet aan Peter, niet aan Rachel, alleen een heel klein beetje aan Beth. Zij dachten dat ze om haar man en haar dochter had gerouwd en de draad van haar leven weer een beetje had opgepakt. Het feit dat dat niet zo was, maakte haar lijden alleen nog maar groter. Ze had moeten rouwen en door moeten gaan. Maar dat had ze niet gedaan. Ze had zoveel verdriet, haar tranen zaten zo dicht aan de oppervlakte zodra ze aan haar dochter dacht. De wond in haar hart leek in de loop der tijd alleen maar groter te worden in plaats van te genezen.

'God, waarom hebt U dat laatste gebed niet verhoord? Waarom niet?'

Ze had de woorden wel willen schreeuwen, maar ze fluisterde ze slechts met ogen vol tranen.

5

Jennifer was helemaal verdiept in het schrijven van de samenvatting van haar boek die de uitgever nodig had voor de sales- en marketingafdeling toen de telefoon ging.

'Hallo?'

'Hallo, Jen.'

'Scott.' Glimlachend legde ze haar pen neer. 'Hoi.'

'Ben je vrij na zessen? Ik wil je graag mee uit eten nemen en naar de film,' vroeg hij, gelijk ter zake komend.

'We zouden morgenavond uitgaan.'

'Beschouw het maar als twee voor de prijs van een. Het enige wat ik hier doe is mezelf meer werk bezorgen. Geef me alsjeblieft een reden om weg te gaan.'

Ze lachte. 'Graag,' antwoordde Jennifer terwijl ze het snoer van de telefoon om haar vingers wond.

'Mooi zo. Dan haal ik je rond kwart over zes op.'

'Klinkt goed. Welke film?'

'Het maakt mij niet uit,' antwoordde Scott. 'Ze draaien een comedy, een detective, drie actiefilms en een Walt Disneyfilm.'

'Wie speelt er in de comedy?'

'Tom Hanks.'

'Laten we daar dan maar heen gaan.'

'Goed. Ik zie je na zessen.'

Scott was vroeg. Jennifer probeerde net haar oorbel vast te maken toen de bel ging. Ze droeg een nette broek en een lichte trui, maar de oorbellen waren absoluut haar favoriete en ze was vastbesloten ze te dragen. Ze had ze van haar moeder gekregen voor haar eenentwintigste verjaardag.

Met één oorbel in, liep ze naar de deur. 'Hoi, Scott. Kom binnen. Ik ben zo klaar.'

Hij glimlachte. 'Doe maar rustig aan. Ik ben vroeg.'

Ze liep weer naar de slaapkamer. 'Is je dag verder goed verlopen?'

Hij kwam aanlopen en leunde tegen de deurpost terwijl ze haar tweede oorbel in deed. 'Gaat wel. Ik heb sterk het gevoel dat het papier alleen maar meer papier wordt.'

Ze glimlachte. 'Dat gevoel heb ik met mijn verhalen soms ook.' Ze begon haar schoenen te zoeken.

'Ze staan onder je bed, Jennifer,' merkte hij op, omdat hij haar zwarte schoenen zonder hak daar had zien staan.

Ze pakte de schoenen. 'Bedankt.'

'Als je een jasje hebt, raad ik je aan dat mee te nemen.'

Jennifer knikte en liep naar de kast om haar leren jasje te pakken. 'Iets lichters heb ik niet. Ik heb mijn windjack bij Peter laten hangen.'

'Dit is prima. Misschien heb je het nodig voordat de avond om is.'

'Wat ben je van plan?'

Hij stak zijn hand op. 'Alleen uit eten en naar de film. Maar het is goed om voorbereid te zijn.'

Ze grijnsde. 'O.'

Hij glimlachte. 'Je hebt een goed humeur vanavond.'

'Wat een verandering, hè?' Ze haalde even haar schouders op. 'Ik heb het boek bijna zo ver af dat ik het naar Ann kan sturen.'

'Wil je zeggen dat je een slecht humeur krijgt als het schrijven niet wil vlotten?'

'Hoe voel jij je na een dag met de ene crisis na de andere?'

'Die zit.' Hij glimlachte. 'Jij en Jerry hadden een waarschuwingssysteem, hè? Een manier waarop jullie het elkaar lieten merken als het een waardeloze dag met het boek was geweest.'

Ze knikte. 'Als ik tegen hem zei dat hij pizza moest bestellen, wist hij hoe laat het was. En Jerry,' grinnikte ze, 'reageerde zich af door trompet te studeren.'

'Was hij goed?'

Jennifer lachte. 'Nee.' Ze pakte haar tas. 'Goed, Scott, ik ben klaar.'

Hij sloot het huis voor haar af. 'Heb je ergens een voorkeur voor?'

'Wat dacht je van Mexicaans?'

Scott hield de passagiersdeur voor haar open. 'Ik weet een heel goed restaurant. Een kwartiertje hiervandaan.' Hij liep om de auto heen en ging op de bestuurdersstoel zitten. Ze lieten de armleuning tussen hen in zitten. 'Ik ben blij dat je hebt besloten om vanavond mee te gaan.'

'Ik ook.'

Hij keek naar haar en glimlachte.

'Scott, je bent aan het rijden. Je hoort je ogen op de weg te houden,' waarschuwde Jennifer hem.

'Ik raak afgeleid door jou.'

'Natuurlijk. Let op de weg,' antwoordde ze met een grijns.

Het restaurant was klein en lag aan een zijstraat, niet langs de hoofdweg. 'Het bevalt je hier vast, Jennifer. Je kunt hier heerlijk eten.' Hij stak zijn hand uit om haar uit de auto te helpen. Terwijl ze naar de deur liepen, legde hij zijn arm stevig om haar middel. Hij was niet vergeten wat ze over eerste keren had gezegd.

'Let op het aantal pepertjes naast de naam van het gerecht. Daaraan kun je zien hoe pittig het is,' waarschuwde Scott toen ze zaten.

Jennifer knikte. Ze las het menu belangstellend. 'Het lijkt me allemaal heerlijk, Scott.'

Hij glimlachte. 'Dat is het ook.'

Jennifer besloot om extra hete burrito's te bestellen.

'Hou je van scherpe kruiden?' vroeg Scott verbaasd.

'Ik ben er gek op,' antwoordde Jennifer en tastte flink toe van de schaal tortillachips die op tafel stond om gasten te verwelkomen. Ze waren zelfgemaakt. En verrukkelijk.

Scott bestelde voor hen allebei. Hij had hetzelfde gerecht gekozen als Jennifer. 'Probeer dit dan maar eens.' Hij schoof een schaaltje hete salsa naar haar toe.

'Niet slecht,' antwoordde Jennifer nadat ze ervan had geproefd.

Scott glimlachte. 'Blijf je me zo verbazen, Jennifer?'

'Houdt dan niet iedereen van heet eten?'

Hij grinnikte. 'Nee.' Hij bood haar de chips aan die hij vasthield. De hare was afgebroken in het schaaltje.

'Bedankt. Ik ken je nog maar een paar weken,' merkte ze op.

'Is dat van belang?'

Ze knikte. 'Ik heb je nu al vier keer gezien. Dit is de vijfde keer. Morgen de zesde.'

'Wat wil je daarmee zeggen?'

'Hoeveel wil je voor ons in een maand proberen te proppen?'

'Zoveel als ik van jou mag.'

'Daar was ik al bang voor. Je ziet er moe uit, Scott.'

'Een beetje.'

'Het is niet goed dit te overhaasten, weet je.'

'Weet ik.'

'Dus waarom doen we dit dan?'

Hij grinnikte. 'Omdat het in feite het beste idee was dat ik de hele dag heb gehad.' Hij pakte nog wat chips en bood haar die aan. Ze nam er een hapje van.

Het eten werd gebracht.

'Vertel me eens over die footballavonden op maandag. Hoe lang doen Peter en jij dat al?'

'Jerry is ermee begonnen. Hij en Peter waren vanaf de eerste dag dat ze elkaar ontmoetten heel goed met elkaar bevriend. Maandagavond werd de vaste avond uit voor de mannen.' Ze glimlachte bij de herinnering. 'Peter kwam altijd vroeg en dan gingen ze samen ergens eten en een beetje basketballen in de gymzaal van de kerk. Jerry coachte het gemeenteteam een poosje en daarna kwamen ze op tijd terug naar huis om een wedstrijd te zien op de televisie. Ik kwam altijd naast Jerry op de bank terecht tot de wedstrijd afgelopen was.' Ze grinnikte. 'Hij heeft een paar keer een elleboog in zijn ribben gekregen als hij me van de wedstrijd afleidde. Ik ben gek op American football. Altijd geweest.'

Ze aarzelde. 'Na Jerry's dood waren de maandagavonden voor Peter en mij een manier om de herinnering aan hem levend te houden. Peter gebruikt ze als een excuus om langs te komen en te zien hoe het met me gaat.'

Scott was blij dat ze hem over haar leven met Jerry wilde vertellen. Dat was belangrijk. Het betekende dat ze hem in vertrouwen nam over het belangrijkste deel van wie ze was. Hij wilde inzicht krijgen in haar verleden. Hij moest het begrijpen. 'Daar is moed voor nodig, Jennifer, om vast te houden aan de goede herinneringen in plaats van alle herinneringen te begraven, of het nu goede of slechte zijn.'

'Misschien wel. In de loop van de tijd zijn de maandagavonden gemakkelijker geworden. De eerste maanden waren niet zo prettig.' Jennifer zuchtte. 'Peter gaf zichzelf de schuld van Jerry's dood. Daar was beslist geen reden voor, maar omdat hij degene was die bij hem was, vond hij dat hij iets had moeten doen. Ik was een tijd lang bang dat ik zowel mijn man als mijn broer was kwijtgeraakt. Peter neemt schuldgevoelens heel serieus. En er waren wat verzachtende omstandigheden die geen goed deden.' *Zoals Colleen.*

'Waardoor is hij veranderd?'

'Ik heb een paar keer tegen hem geschreeuwd. En hij maakte zich zorgen over mij. Hij moest in de buurt blijven om me te beschermen. De tijd heeft de pijn verzacht.'

Jennifer moest een ander onderwerp aansnijden. 'Vertel me eens over je zus Heather, Scott. Wat is ze voor iemand?'

Scott volgde haar hint op. 'Heather? Die is heel uniek. Rustig. Verlegen. Ze heeft levendige, blauwe ogen. En een sterke wil.' Hij glimlachte. 'Al vanaf haar vijfde wist ze wie ze was en wat ze wilde. Bloemen. Alles wat ze deed had met bloemen te maken.'

'Zei je dat ze nu bloemiste is?'

'Ja. En ze heeft een goedlopend kassenbedrijf. Ze kan letterlijk alles laten groeien.' Hij liet de ijsblokjes in zijn glas ronddraaien en keek haar aan. 'Ik moet je iets opbiechten. Eigenlijk zou ik Heather meenemen naar die musical *Chess*. Maar dat heb ik afgezegd om met jou te kunnen gaan. Daarom zet ze me nu onder druk om jou aan haar voor te stellen.'

Jennifer lachte. 'Dat heb je toch niet echt gedaan?'

'Jawel,' gaf hij toe.

'Hoe lang heeft ze je de les gelezen?'

Hij glimlachte. 'Een hele tijd. Ik heb haar verteld dat je mooie ogen hebt. Toen kalmeerde ze.'

Jennifer had maanden niet zo gelachen. 'Scott, niet nu ik zo vol zit,' protesteerde ze. 'Hoe moet ik morgenavond je zus ontmoeten zonder zenuwachtig te zijn?'

'Jullie kunnen vast goed met elkaar opschieten.'

De ober bleef staan om te vragen of ze nog een dessert wilden. Jennifer sloeg het aanbod af en Scott vroeg om de rekening. 'De film begint ongeveer over een halfuur. We moeten gaan.'

Hij pakte haar hand toen ze het restaurant uitliepen.

Het was druk in de bioscoop. Scott kocht de kaartjes en loodste Jennifer tussen de mensen door die in en uit liepen. Hij wees naar het winkeltje. 'Wil je popcorn?'

Jennifer lachte om de hoopvolle uitdrukking op zijn gezicht. 'En een grote cola light,' voegde ze eraan toe.

Hij glimlachte. 'Goed. Nog iets zoets?'

'Misschien een ijsje na de film,' zei Jennifer.

Hij knikte. Onwillig liet hij haar hand los. 'Je hoeft hier niet in de drukte te blijven staan. Zie ik je bij de deuren van zaal drie?'

Jennifer knikte. 'Heb je geen hulp nodig?'

'Nee, het lukt wel. Tot zo.' Hij ging in de rij staan.

Jennifer liep naar zaal drie. Ze fronste haar wenkbrauwen. Overal liepen kinderen. De Disneyfilm draaide in zaal vier. Ze dwong zichzelf diep adem te halen. Ze begon de aan-plakbiljetten te lezen, zodat ze niet naar de kinderen hoefde te kijken.

Een klein handje trok aan de stof van Jennifers broek.

'Hallo.' Het kind hield een paar rode dropstaven vast. 'Wilt u er ook een?'

Het meisje was hooguit drie jaar. Jennifer voelde zich misselijk. Blond haar. Bruine ogen. Donkere wimpers. Een volmaakte glimlach. Het kind had haar eigen dochtertje kunnen zijn als het was blijven leven. 'Dank je, liefje, maar ik heb al iets lekkers gehad.' Jennifer liet haar het snoepje zien dat ze in haar hand had gehad sinds ze het restaurant had verlaten.

'Oké.'

'Mandy kom eens bij mama.'

Het kind draaide zich om. Jennifer zag een vrouw die een baby vasthield op hen toelopen. Ze glimlachte verontschuldigend over het gedrag van haar dochtertje. Jennifer schonk haar een jaloers glimlachje terug. Het kleine meisje dribbelde vrolijk naar haar moeder.

De innerlijke pijn verscheurde haar en haar hart stond even stil alsof het was vastgegrepen door een sterke vuist. De ontmoeting had haar uit haar toch al fragiele evenwicht gebracht. *God, help me om hier weg te komen.* Het was een wanhopige smeekbede en Jennifer draaide zich al om op zoek naar de uitgang toen Scott kwam aanlopen. Ze was nog nooit zo blij geweest om iemand te zien. 'Scott, wil je me alsjeblieft naar huis brengen?' Ze was radeloos en dat sprak uit haar stem en haar ogen.

'Jennifer, wat is er?' Hij zette de popcorn en de bekers op de rand van een display. Ze zag bleek en stond te trillen op haar benen. Hij wist niet dat ze zich niet goed had gevoeld.

'Ik moet weg,' zei ze zacht en nadrukkelijk.

Kwaad op zichzelf dat hij niet beter op haar had gelet, liet Scott het eten staan en leidde Jennifer terug naar de uitgang. Zijn bezorgdheid sloeg om in angst toen ze een gezinnetje tegenkwamen met een baby en een blond meisje. Jennifer zag eruit alsof ze zou flauwvallen. Hij sloeg zijn arm steviger om haar middel. Ze bereikten de deuren en ze wankelde op haar benen. 'Trek even je jasje aan, Jennifer,' zei hij en trok het snel van het zijne. Ze leunde met haar hoofd tegen het koude glas en liet hem begaan terwijl hij haar jasje om haar schouders sloeg. Snel zocht hij zijn sleutels.

Colleen. Ze probeerde haar tranen te onderdrukken, maar zonder succes.

Zijn hand greep de hare. 'Jennifer?'

Ze schudde alleen maar haar hoofd.

Scott sloeg zijn arm stevig om haar heen en duwde de deur open. Hij was blij dat de auto vlakbij stond. Hij deed het passagiersportier open en hielp haar met instappen. Snel liep hij om de auto heen naar de bestuurderskant. Ze rilde. Hij startte de motor en zette de verwarming voluit aan.

Ze ademde moeizaam in en liet de lucht langzaam weer uit haar longen ontsnappen.

Hij hield haar nauwlettend in de gaten. Ze had nauwelijks kleur op haar gezicht en ze had haar kaken opeen geklemd alsof ze probeerde zich tegen haar tranen te verzetten. Hij had nooit eerder iemand in shock gezien en dat was wat hij zag. 'Wat is er gebeurd?'

Ze draaide tegen de rugleuning haar hoofd naar hem toe en het was duidelijk dat ze het hem niet wilde vertellen, niet wist hoe ze zich voor haar verzoek moest verontschuldigen, niet wist wat ze moest zeggen. 'Een oude herinnering, Scott. Ik was er gewoon niet klaar voor,' zei ze ten slotte met moeite.

Met moeite? Dit was een kwelling. Hij stak zijn hand uit en pakte geruststellend de hare. 'Wil je me erover vertellen?' *Vind alsjeblieft de moed,* bad hij in stilte.

Hoe moet ik hem over Colleen vertellen? Jennifer deed haar best om woorden te vinden en het lukte haar eenvoudigweg niet. De tranen liepen al over haar wangen. Het zou haar volkomen van streek maken als ze die pijn nu weer toeliet. 'Het spijt me, Scott. Dat kan ik niet.'

Als haar weigering hem verdriet deed, liet hij dat niet merken. Hij trok haar zachtjes naar zich toe vanaf het portier waar ze tegenaan geleund zat, boog zich naar haar toe en drukte heel zacht en behoedzaam een kus op haar voorhoofd. 'Het geeft niet, Jennifer,' zei hij zacht en de vriendelijkheid in zijn stem, zijn aanraking vertelden haar de rest. Hij was bereid haar de vrijheid te geven om te beslissen of en wanneer ze hem wilde vertellen wat er aan de hand was. Scott hield haar dicht tegen zich aan en stuurde de auto het verkeer in.

'Heb je de lichtjes van de stad wel eens vanaf de Overlook Drive gezien?' vroeg hij een paar minuten later toen haar tranenvloed was opgedroogd.

Ze schudde haar hoofd.

'Dat is de moeite waard,' merkte Scott op en keek op haar neer met een vraag in zijn ogen.

Jennifer was dankbaar dat hij de avond niet vroeg beëindigde. Als hij het wel had gedaan, had ze het hem niet kwalijk genomen. 'Ik wil ze graag zien, Scott.' Ze legde haar hoofd op zijn schouder. De arm om haar heen bewoog, streek haar haar uit haar gezicht voordat hij weer om haar schouders werd gelegd. 'Doe je ogen maar dicht. Rust maar uit. Het is nog een paar minuten naar de Overlook Drive. Ik zeg het wel als we er bijna zijn.'

Jennifer kon Scotts woorden zowel horen als voelen. De laatste keer dat ze zo dicht bij een man was geweest, was met Jerry geweest. Ze had het gemist. Ze deed haar ogen dicht, maar al te graag bereid er gewoon van te genieten om bij hem te zijn, er een beetje over te dromen dat het echt was, permanent. Wat dan ook, als ze maar niet aan Colleen hoefde te denken. 'Die herinneringen gaan nooit meer weg, Scott.'

Hij sloeg zijn arm steviger om haar heen. 'Jawel.'

'Hoe dan?'

'Er komen nieuwe voor in de plaats. Uiteindelijk komen er nieuwe voor in de plaats.'

Ze zuchtte. 'Soms wens ik dat ik Jerry nooit had ontmoet.'

'Jennifer.'

'Goed, laat ik dan zeggen dat ik wens dat hij niet was gestorven.'

Scott wist dat ze er behoefte aan had om te praten. 'Hoe heb je Jerry ontmoet?'

Hij voelde dat ze glimlachte. 'Colleges Engels. Hij was knap en extravert. Zijn hoofdvak was journalistiek. Na de les zaten we met z'n achten in de kantine popcorn te eten en te studeren. Hij kwam bij ons zitten en nam de stoel tegenover me. Stelde zich voor, zei dat hij me in de collegezaal had gezien en vroeg me wat mijn hoofdvak was. Hij grijnsde toen hij vroeg wat ik wilde worden als ik groot was. Uiteindelijk vond ik de moed om hem te vertellen dat ik schrijver wilde worden. Hij maakte er geen geintjes over. Zijn blauwe ogen werden ernstig. "Meen je dat?" Jennifer glimlachte weer. 'Ik zag dat hij onder de indruk was, Scott. Hij vroeg wat ik had geschreven, wat in die tijd nog niet veel was.'

Scott grinnikte. 'Vertel me de rest ook eens, Jennifer,' moedigde hij haar aan.

'Hij koos me als zijn studiepartner. Die had hij niet nodig. Hij was intelligenter dan ik. Ik was graag in zijn gezelschap. Nadat ik hem anderhalve week elke dag had ontmoet, was ik over mijn verlegenheid heen. Ik mocht hem graag. Hij was voorzitter van de christelijke studentenvereniging op de campus. Hij stelde me in die eerste anderhalve week aan de halve campus voor.

De collegezalen van de hogeschool leken wel theaters. De rijen houten stoelen stonden in een hoek om het podium heen. Ik zat graag op de tiende rij in het midden. Daar kon de professor niet zien wat je uitvoerde, maar zat je toch niet achter in de zaal. Jerry gooide zijn rugzak met boeken altijd op de stoel naast me, wenste me goedemorgen en ging dan de halve klas begroeten voordat de professor binnenkwam. Net voordat het college begon, viel hij met een glimlach naast me op zijn stoel.

Ons eerste college was literatuur. Jerry bracht altijd de krant van die dag mee. Ik maakte nooit aantekeningen tijdens de les. Ik luisterde alleen maar. Jerry maakte wel veel aantekeningen. Het college duurde twee uur. Na twintig minuten haalde hij altijd stilletjes de krant tevoorschijn.

'Ik had de gewoonte 's avonds laat te schrijven. 's Morgens sliep ik vaak zo lang mogelijk uit en meer dan eens bracht ik zoete broodjes als ontbijt mee naar de les. Tegen de derde week was het een gewoonte geworden dat ik voor ons beiden een broodje meebracht.'

Jennifer genoot van de herinneringen aan die zorgeloze dagen. 'Jerry kwam er al snel achter dat mijn groene schrift mijn verhalenschrift was. Als hij zag dat ik het pakte, glimlachte hij naar me. Hij las nooit mee over mijn schouder. Dat verbaasde me en het maakte het leven beslist gemakkelijker, want ik was meestal pas tevreden over mijn verhalen als ik ze vier of vijf keer had herschreven. Als ik zover was, schoof ik het schrift naar hem toe. Hij was net als Beth. Alles wat ik schreef, vond hij mooi. Als ik hem vroeg hoe ik een verhaal kon verbeteren, dacht hij een tijdje na en stelde dan een andere manier voor waarop de plot zich zou kunnen ontwikkelen of waarop ik een personage boeiender zou kunnen maken. Jerry hield van goede detectives.'

'Heb je je eerste boek samen met hem geschreven?'

Jennifer knikte. 'De zesde week bracht ik een speciaal schrift mee naar het literatuurcollege. Ik vroeg hem om het te lezen. Het waren de eerste zeventig pagina's van wat ons eerste boek zou worden. Ik had het jaar daarvoor privé-detective Thomas Bradford bedacht en het verhaal was langzaam ontstaan. Jerry was zo enthousiast over het boek dat hij me in mijn studentenflat kwam opzoeken. Dat had hij nooit eerder gedaan. Hij wilde weten wanneer ik het verhaal zou afmaken. Het verbaasde me dat hij het goed vond. Ik vond het zelf niet zo geweldig. Toen ik hem vertelde dat ik niet wist hoe ik een einde aan het verhaal moest maken, raakte hij echt van slag. Hij wilde weten hoe de zaak zou worden opgelost en dat had ik nog niet bedacht.'

Scott lachte. 'Raakte hij er toen bij betrokken?'

Jennifer knikte. 'Hij zat me wekenlang achter mijn vodden aan met dat boek. Ten slotte zei ik tegen hem dat hij me dan maar moest helpen als hij zo graag wilde dat het afkwam. Hij vatte mijn woorden letterlijk op. Op dinsdag-, woensdag- en vrijdagmiddagen sleepte hij me mee naar de bageltent, ging daar met me in een hoekje zitten en bestelde een late lunch voor ons. Daarna bedachten we wat de volgende gebeurtenis in het boek moest worden. Hij vatte de gewoonte op om me bij mijn flat op te halen en met me naar de literatuurcolleges te lopen, zodat hij kon lezen wat ik de avond ervoor had geschreven.'

Jennifer draaide aan de trouwring om haar vinger. 'Dat semester ben ik verliefd geworden op Jerry,' zei ze zacht.

'Je hebt mooie herinneringen, Jennifer. Daar moet je blij mee zijn.'

'Dat ben ik ook. Ik verlang alleen zo naar die tijd terug dat de herinneringen pijnlijk zijn.'

'Waren het alleen maar goede tijden?'

Daar dacht Jennifer over na. 'Nee,' gaf ze toe. 'Ik was ontzettend bang dat ik mijn boek niet zou kunnen verkopen,' zei ze met een glimlach. 'En ook ontzettend bang dat het wel zou lukken. Ik maakte me zorgen over Jerry en wat hij van me vond.'

Met veel tegenzin zei Scott tegen haar: 'We zijn bijna bij de Overlook Drive. Als we op de top van deze heuvel zijn, kun je de lichten van de stad beneden zien.'

Jennifer ging met evenveel tegenzin overeind zitten. En toen zag ze het uitzicht. 'Scott, dit is ongelooflijk.' De stad lag onder hen uitgestrekt en de lichtjes twinkelden in het bijna duister.

'Het helpt dat het een heldere avond is.' Hij reed de parkeerplaats bij het uitkijkpunt op. 'Heb je zin om uit te stappen?'

Ze knikte. Scott zette de motor af. Jennifer stapte uit en trok haar jasje goed aan. Scott liep om de auto heen en kwam naast haar staan. Hij leunde tegen de motorkap.

'Het verbaast me dat er zoveel kleur in die lichtjes zit,' merkte Jennifer op.

'Zie je die lichtbundel? Daar rechts?'

'Wat is dat? Een ziekenhuis?'

'Waarschijnlijk wel.'

Jennifer glimlachte. 'Het lijkt wel een vuurtoren.' Ze boog zich naast hem achterover. 'Het is een mooie avond om naar de sterren te kijken.'

'Ken je de sterrenbeelden?'

'De Grote Beer. Daar houdt het wel zo'n beetje mee op.'

'Veel verder kom ik ook niet,' gaf Scott toe. Hij steunde met zijn handen op de motorkap om omhoog te kijken. 'Het is een indrukwekkend gezicht.'

'Zeker,' beaamde Jennifer. Ze raakte zijn arm aan. 'Daar zie je de Melkweg.'

'Misschien doorgronden we op een dag de grootheid van wat we zien.'

'Misschien wel.'

Scott keek naar haar, omdat de huivering in haar stem hem opviel. 'Je hebt het koud. Laten we terugrijden.'

Ze knikte.

Ze reden een eindje en de weg begon te dalen. 'Bedankt Scott. Dat was mooi.'

Hij glimlachte. 'Dat vond ik ook.' Hij wierp een blik op het klokje van zijn dashboard. 'Het is bijna tien uur. We zijn in de buurt van mijn huis. Wil je koffie?'

'Graag.'

Het was een plezierige rit geweest, dacht Jennifer.

'Jerry en ik gingen jaren geleden af en toe naar dit strand. Hij hield van het water,' merkte Jennifer op terwijl ze langs het meer naar Scotts huis reden. Ze dacht aan die tijd en deed haar ogen dicht, worstelend tegen het verdriet dat de herinneringen met zich meebrachten.

Scott stak zijn hand uit en pakte de hare.

'Maak het je gemakkelijk. Ik kom zo terug met de koffie,' zei Scott terwijl hij haar meenam naar de woonkamer van zijn huis. Die had een schuin plafond en aan de wanden hingen prachtige schilderijen. Overal stonden planten en comfortabel meubilair. Ze ging op een bank zitten die haar goed zicht op de ramen bood. De maan was nu zichtbaar. Hij was bijna vol en hing laag boven de horizon.

'Je bent mooi vanavond.' Jerry sloeg zijn armen om zijn vrouw die in een zachte, witte badjas voor hem stond.

Ze glimlachte en leunde achterover, zodat ze tegen hem aan kwam te staan. 'Dank je,' zei ze zacht, maar ze hield haar ogen op het uitzicht gericht. 'Je kunt de zeilboten in de haven zien als het maanlicht precies goed op de masten valt.'

'Je hebt gelijk,' zei hij even later.

'Dit is een fantastisch uitzicht.'

'Vind ik ook.'

Jennifer bloosde. Haar man had zijn aandacht weer op haar gericht.

'Heb ik een goed plekje uitgekozen voor onze huwelijksreis?'

'Perfect.' Ze vlocht haar vingers door de zijne. 'Kunnen we morgen gaan zeilen?'

'Ik heb al een boot besproken.'

'Jennifer.'

Ze werd wakker uit haar dagdroom en nam het porseleinen kopje van Scott aan. 'Dank je.'

Hij ging naast haar zitten en strekte zijn benen voor zich uit.

'Zo'n uitzicht hadden we toen we op huwelijksreis waren. Een grote, volle maan. De zachte geur van de oceaan in de lucht,' zei Jennifer zacht.

Scott hield zijn hoofd schuin om naar haar te kunnen kijken. 'Waar waren jullie naartoe gegaan?'

'Naar het noorden van de staat Washington. Een klein kustplaatsje.' Jennifer proefde voorzichtig de hete koffie. Een vage kaneelsmaak. Het was lekker. Ze legde haar hoofd tegen de hoge rugleuning van de bank. 'Je zou het fijn vinden om getrouwd te zijn, Scott.' Ze wist dat hij daarop uit was. Ze merkte het aan alles. Deze man zocht een vrouw. Het was moeilijk die mogelijkheid te overwegen. Ze bevonden zich op verschillende punten in hun leven. Dat moest hij snel accepteren en dan verder gaan. Zij kon niet aan een tweede huwelijk denken. Niet nu. Niet nu het verdriet in haar hart nog zo rauw was.

'Hoe waren die jaren, Jennifer?'

Jennifer probeerde met woorden een beeld te schetsen. ''s Morgens stille tijd. Briefjes op de koelkast. Voortdurend deadlines. Vermoeide ogen. Hard werken. Bibliotheken. Boeken. Veel boeken. Laat naar bed. Luie middagen. Pittige hotdogs en honkbalwedstrijden. Dutjes in de hangmat. Goede boeken. Lekkere pizza's. Bladeren harken. Football-wedstrijden. Chocolatechipkoekjes. Warme appelwijn. Vuur in de open haard. Warme, zachte dekens. Bordspelletjes. Jerry, die vals speelde als we kaartten. Kerstliedjes. Sneeuwbal-gevechten. Gelach. Etentjes. Rustige gesprekken. Geen geld. Veel geld. Zonnige dagen in het park. Frisbee. Handen vast-houden. Viooltjes. Regenachtige dagen. Uitslapen. Ontbijt op bed. Knuffelen. Prachtige zonsondergangen. Gebed. Ruzies. Goedmaken.' Haar woordenstroom droogde op.

Scott bleef lange tijd zwijgen. Hij had zich naar haar toe-gedraaid om naar haar te kijken terwijl ze sprak en haar ogen gericht hield op de lichtjes in de verte en haar aan-dacht op het verleden. 'Beschrijf je leven nu eens, Jennifer,' vroeg hij zacht, al wetend wat voor antwoord ze zou geven. De intensiteit ervan overviel hem.

'Eenzame nachten. Donkere kamers. Tranen. Boosheid. Saaie maaltijden. Alleen zijn. Bang zijn. Medelijden op de gezichten van mensen. Onzekerheid. Stilte. Doelloosheid. Verdriet. Gebroken dingen. Lege kasten. Feestjes uit mede-lijden. Bewolkte dagen. Dubieuze verkopers. Rekeningen. Geïsoleerd zijn. Verdrinken. Twijfelen.'

Er was helemaal niets wat hij kon zeggen. Hij stak zijn

hand uit. Na een korte aarzeling legde ze de hare erin. Zijn hand sloot zich om de hare. 'Bedankt dat je hebt geantwoord.'

Hij stond op en schonk nog een keer koffie in. Hij ging niet opnieuw zitten, maar liep naar het raam en leunde ertegenaan. 'Wat heb je nu voor plannen?'

Ze zuchtte. 'Ik moet zoveel herinneringen verwerken. Misschien lukt dat de komende maanden. Ik weet het niet. Ik begin aan een nieuw boek.'

'Je verheugt je niet op de verandering.'

'Ik heb een hekel aan nieuwe dingen. Ik hou van vertrouwde, duidelijk omlijnde patronen. Niet van chaos en nog meer onzekerheid.'

'Weet je zeker dat ik de zaken niet nog ingewikkelder zal maken?'

Ze glimlachte. 'Scott, je hebt mijn leven op z'n kop gezet vanaf de allereerste dag dat ik je ontmoette. Natuurlijk maak jij de zaken ingewikkelder. Maar je bent een prettige verstoring.'

'Waarom ben je zo bang voor nieuwe dingen, Jennifer?'

Ze haalde haar hand door haar haar. 'Ik weet het niet. Vooral omdat ik dan niet weet wat ik moet doen, wat ik moet zeggen. Ik vind ze verwarrend.'

'Als ik je voorstel iets voor het eerst te doen, wil je er dan tenminste over nadenken?'

Ze knikte aarzelend.

Hij liep naar haar toe en stak zijn hand uit. 'Dans met me.'

Hij trok haar overeind en nam haar mee naar nis waar planken in waren geplaatst. Ze zag een mooie stereo-installatie staan. Hij legde de bovenste cd in de cd-speler. Orkestmuziek vulde de kamer. Hij stak zijn handen uit en Jennifer deed een stap naar voren in zijn armen.

Hij danste goed. Jennifer legde haar hoofd tegen zijn borst en merkte dat het haar niet moeilijk viel zich te ontspannen. 'Hier zou ik wel aan kunnen wennen.'

Ze voelde dat hij glimlachte.

Hij stond aan de overkant van de gang voor de toiletten op haar te wachten en liep op haar toe toen hij haar zag.

'Het spijt me,' zei Jennifer zacht en schuldbewust.

Hij keek even onderzoekend naar haar gezicht.

'Ik heb iets te drinken voor je meegebracht. Je zag eruit alsof je het wel kon gebruiken,' zei hij ten slotte terwijl hij een van de twee glazen die hij vasthield aan haar gaf.

Het zag eruit als drank. 'Ik drink niet, Scott. Alleen als ik extreem gespannen ben,' verduidelijkte ze omdat ze zich de sterfdag van haar man herinnerde. Toen had ze wel gedronken.

'Ik ook niet. Het is ijsthee.'

Ze bloosde verlegen.

'Schei daarmee uit, Jen. Ik zou het erg hebben gevonden als je het niet had gevraagd.'

Jennifer keek naar hem op. Hij meende het. Ze zou nooit aan deze man wennen.

Jennifer trapte per ongeluk op Scotts tenen. Het was de eerste keer dat ze een flashback over Scott had gehad in plaats van over Jerry. Het overrompelde haar.

De arm om haar middel pakte haar steviger vast. 'Gaat het?'

'Ja. Sorry,' antwoordde ze met haar gedachten nog bij de herinnering. Ze glimlachte. Het was een prettige herinnering.

Ten slotte stopte de muziek. Jennifer deed met tegenzin een stap achteruit. Scott tilde zijn hand op en streelde haar wang. 'Bedankt, Jennifer,' zei hij ernstig.

Ze gaf wijselijk geen antwoord.

'Het is laat. Ik moet naar huis.'

★★★

Het meer was kalm. Damp steeg op in de stille ochtendlucht. Scott liet de boot naar de oever drijven. Met een soepele beweging gooide hij aan de rechterkant zijn hengel uit. Hij was al een uur op het meer en de vissen hapten naar alles wat boven het wateroppervlak glinsterde. Hij begon gelijkmatig aan zijn molentje te draaien, zodat zijn aas naar de boot toe kwam en hij wachtte tot hij een baars voelde bijten.

Jennifer was het. Jennifer was de vrouw met wie hij wilde trouwen. Het was een intuïtieve beslissing, maar hij had er een goed gevoel over, een gevoel waarop hij durfde te vertrouwen. Hij vond haar leuk. Hij vond haar heel leuk. Goed, eerlijk gezegd was hij verliefd op haar. Het idee met een schrijfster getrouwd te zijn, trok hem. Haar persoonlijkheid beviel hem, evenals haar voorkeur voor zwijgen. Hij hield van haar stem. Hij kon zich voorstellen dat ze over twintig jaar nog in zijn leven zou zijn.

Ze zou een goede moeder zijn. Scott glimlachte. Hij dacht aan Jennifer als ze over haar nichtje Tiffany vertelde. Dan klonk er zoveel trots in haar stem door, zoveel liefde. Hij wilde graag kinderen met Jennifer. Twee, misschien drie kinderen om zijn huis te vullen. Hij zou het heerlijk vinden ze papa te horen zeggen. Hij kon ze leren waterskiën en vissen, hij kon ze liefde bijbrengen voor boeken en voor leren, hij kon ze van koken leren houden. Het zou fantastisch zijn om vader te zijn.

Hij kon niet wachten tot Heather haar ontmoette. Zijn vader en moeder zouden blij met haar zijn.

Ja, Jennifer was de juiste. Ze was volmaakt voor hem, een verhoring van zijn gebeden.

6

Het laatste waar Jennifer zin in had, was een avond met Scott doorbrengen, uit eten gaan en zijn zus ontmoeten. Het twistgesprek dat ze de vorige avond met God had gehad, had zijn tol geëist. Ze wilde antwoorden en die kreeg ze niet. Haar hoofd bonsde en ze had de hele dag een waardeloos humeur gehad. Ze keek naar de ladder in haar panty. Met een zucht gooide ze de zijden kousen in de prullenbak.

De spiegel boven de wastafel in de badkamer toonde haar duidelijk hoe vreselijk ze eruitzag.

Nu ze er een dag over had nagedacht, wist ze dat ze gisteravond de grens tussen eerlijkheid en oneerbiedigheid had overschreden. God had haar het recht gegeven om eerlijk te zijn, om boos op Hem te zijn zelfs, maar oneerbiedigheid was onaanvaardbaar en dat wist ze.

Ze keek naar het plafond. 'God, het spijt me.'

Jennifer keek weer naar zichzelf in de spiegel en trok een gezicht. Ze kamde haar haar naar achteren in een staart en pakte een washand.

Toen Scott een uur later arriveerde, trof hij een erg stille Jennifer aan. Ze zat in de woonkamer op hem te wachten in een prachtige, saffierblauwe jurk, eenvoudig en toch opvallend. Scott keek bewonderend naar haar. 'Mooi.'

Ze glimlachte. Zijn compliment was als balsem voor een

zeer verwonde geest. Ze had bijna haar hele garderobe afge-
keurd op zoek naar iets wat haar gezicht niet nog bleker zou
maken. Scotts onderzoekende blikken vertelden haar dat ze
er niet helemaal in was geslaagd het effect van de dag te ver-
bloemen. Hij pakte behoedzaam haar hand. 'Wat is er?'

'Ik heb een moeilijke dag gehad,' bekende ze. 'Veel om
over na te denken.'

'Wil je liever thuisblijven vanavond? Je hoeft het maar te
zeggen.'

'Nee, het gaat wel. Ik ben alleen een beetje moe.'

Hij knikte en begreep beter dan ze besefte dat ze in feite
geestelijk uitgeput was. Haar ogen vertelden hun eigen verhaal. 'We maken het niet laat,' zei hij.

Hij hielp haar in haar jas en deed de deur voor haar op
slot.

Het verraste Jennifer dat Scott bereid was de stilte tussen
hen te laten voortduren. Het luchtte haar ook op. Scott
stopte een bandje in de cassettespeler; de zachte piano-
muziek was het enige geluid in de auto.

Jennifer keek naar hem terwijl hij reed. Hij was beslist een
heel knappe man. Ze kende hem nu goed genoeg om de
lachrimpeltjes rond zijn ogen te kunnen zien en zijn eerste
zilvergrijze haren. Ze had de afgelopen weken gemerkt dat
hij stabiel, betrouwbaar, vriendelijk en sterk was. Een man
die wist hoe hij moest zorgen en steunen. Bij hun eerste
ontmoeting had hij haar een man geleken die haar zou ver-
stikken, die haar zou overweldigen door de kracht van zijn
eigen persoonlijkheid. In plaats daarvan vond ze zijn gezelschap heel prettig. Hij had haar eigen, zorgvuldig bewaakte
terrein nooit bedreigd. Hij luisterde. Liet haar bepalen hoeveel ze wilde zeggen. Stiltes vond hij niet bedreigend.

Hij keek naar haar en zag haar onderzoekende blik. Hij

glimlachte met vragende ogen. Ze schudde even haar hoofd, omdat ze haar gedachten niet wilde uitspreken. Zijn glimlach werd breder, maar hij verbrak de stilte niet.

Het restaurant dat Scott koos, verraste Jennifer. Frans. Rustig. Elegant. Hun tafeltje stond in een hoekje, afgezonderd. Jennifer had het gevoel zich op onbekend terrein te bevinden. Ze keek naar Scott.

Zijn glimlach was vriendelijk. 'Maak je geen zorgen, Jennifer. Het wordt een rustige avond, meer niet.'

Zijn zachte, geruststellende woorden deden haar blozen.

'Schei daarmee uit, Jennifer,' zei hij plotseling ferm en zijn hand pakte de hare. 'Je hoeft je er niet voor te verontschuldigen als je op je hoede bent.'

'Wel als er geen reden voor is.'

'Niet waar.' Hij liet haar hand los. 'Toe, Jennifer, geloof me nu maar. Je hoeft je niet te verontschuldigen.'

Ze sloeg haar ogen neer. 'Dank je, Scott.'

Hij fronste zijn wenkbrauwen. 'Jennifer, wat is er vandaag gebeurd? Er is iets helemaal mis.'

Ze keek op. De ober die bij hun tafel kwam staan om de bestelling op te nemen, bood haar een excuus om niet onmiddellijk te antwoorden. Toen ze hem hadden verteld wat ze wilden eten en ze weer alleen waren, keek Jennifer naar Scott en overwoog wat ze hem moest antwoorden. 'Ik heb ruzie gehad met God,' bekende ze ten slotte.

Aan de ernstige uitdrukking op zijn gezicht merkte ze hoe hard die mededeling bij hem aankwam.

'Het is niet de eerste keer dat dat gebeurde en waarschijnlijk ook niet de laatste. Maar ik vind het moeilijk om te gaan met de uitwerking die het na afloop op me heeft.'

'Hoe komt dat, Jennifer?'

'Scott, er is veel dat jij niet over me weet. Ik denk niet dat ik alles wat er speelt kan uitleggen. Ik lig nog steeds met God overhoop over een aantal fundamentele kwesties die met Jerry te maken hebben.' Ze zuchtte. 'Over een ervan heb ik gisteravond een conflict gehad met God.'

'Gaat het, Jennifer?'

'Hij is mijn Vader, Scott. Ik vind het niet fijn om boos op Hem te zijn. Maar soms begrijp ik Hem niet en dat is een lastige positie. Het duurt wel even voordat dit weer is opgelost.'

'Jennifer, wil je over die kwesties praten? Als ik het kan, help ik je.'

Dan zou ik je over Colleen moeten vertellen. Ik wil niet dat je die kant van mij ziet, Scott. Die boze, gekwetste kant. Er is een limiet aan wat een prille relatie kan verdragen. Zulk diep verdriet kan ik nog niet delen. Nog niet. Ze stak haar hand uit en raakte de zijne aan. 'Dank je Scott. Op een dag neem ik dat aanbod aan. Vanavond kan ik het niet.'

Hij drukte haar hand. 'Het aanbod blijft staan, Jennifer.'

Het eten werd geserveerd. Tijdens de maaltijd hielden ze het gesprek luchtig en meden ze emotionele onderwerpen. Jennifer begon zich te ontspannen. Toen ze klaar waren met eten, was Scott er verschillende keren in geslaagd haar aan het lachen te maken. 'Bedankt, Scott,' zei ze zacht en dankbaar toen ze over de parkeerplaats liepen.

Hij omhelsde haar. 'Daar heb je vrienden voor, Jennifer.' Hij hield het autoportier voor haar open en deed het zachtjes dicht nadat ze was ingestapt.

'Wil je het bezoek aan Heather vanavond liever overslaan?'

Het was een verleidelijk aanbod. 'Nee, Scott. Ik heb het maar liever achter de rug.'

Hij glimlachte. 'Je hoeft er niet zo zenuwachtig over te

zijn, Jennifer. Heather heeft beloofd dat ze zich van haar beste kant zal laten zien.'

Ze is zwanger, Scott. Dat is het probleem. Jennifer dwong zichzelf te glimlachen. 'Ze is je zus, Scott.'

'Dat moet je haar niet aanrekenen. Zoals ze vaak zegt, ze heeft het niet voor het zeggen gehad.'

Jennifer lachte. 'Goed, Scott.'

Het was een halfuur rijden naar het huis van Heather en Frank. Het had twee verdiepingen en witte gevelplaten. Op de oprit stond een minibusje geparkeerd. Zoals Jennifer al had verwacht, was de tuin prachtig aangelegd. Het licht bij de voordeur was aan. Scott parkeerde zijn auto naast het busje.

Hij legde zijn arm geruststellend om Jennifers middel toen ze naar het huis liepen. De deur ging open zodra Scott had aangebeld. 'Scott. Jennifer. Welkom. Kom binnen, alsjeblieft.' Met een glimlach hield Frank de deur voor hen open.

'Jennifer, dit is de man van mijn zus Heather, Frank,' stelde Scott hen aan elkaar voor toen ze eenmaal binnen waren.

'Hallo, Frank,' zei Jennifer met een nerveus glimlachje.

Frank gaf haar een hand. 'Leuk om je eindelijk te ontmoeten, Jennifer. Geven jullie die jassen maar aan mij. Ga maar naar binnen en maak het je gemakkelijk. Heather komt zo naar beneden. De kinderen liggen al in bed.'

De zitkamer was prachtig. Wit tapijt. Opvallende rode, blauwe en groene meubelstoffen op de leunstoelen en de tweezitsbankjes. Scotts hand om haar middel die warm aanvoelde door de stof van haar jurk, was een geruststellende gids.

'Scott! Sorry! Ik was nog in de kinderkamer bezig.'

Jennifer wist direct dat dit Heather was. Ze was heel klein, hooguit een meter zestig. Ze droeg haar zwangere buik prachtig. Scott begroette haar met een omhelzing. 'Ha,

Spriet.' Hij glimlachte om de verfspetters op haar gezicht. 'Laat me eens raden… je hebt weer aan het bos gewerkt.'

'Ja.' Ze wreef over haar neus en richtte haar aandacht al op haar gast. Scott reikte naar achteren en pakte Jennifers hand.

'Jennifer, dit is mijn zus Heather. Heather, Jennifer St. James.'

'Hallo,' zei Heather zacht terwijl haar aangeboren verlegenheid om voorrang streed met haar intense belangstelling voor Scotts nieuwe vriendin.

Jennifer glimlachte dapper terug. 'Hallo, Heather.'

De beide mannen mengden zich snel weer in het gesprek om de spanning te breken. 'Jennifer, Scott, hebben jullie zin in koffie?' vroeg Frank.

'Ja, lekker,' antwoordde Scott voor hen beiden. 'Heather, ga zitten. Je moet niet te lang staan. We blijven niet lang, hoor. Hoe gaat het met de babykamer?' Scott trok Jennifer naast zich op een tweezitsbank en vlocht zijn vingers door de hare, die verbazend koud waren.

'Ik heb het bos bijna af,' antwoordde Heather. 'Ik ben een muurschildering aan het maken in de babykamer, iets om hem anders dan anders te maken… niet alleen maar witte muren,' legde ze Jennifer uit.

Jennifer merkte dat ze haar zenuwen in bedwang kon houden als ze naar Heathers gezicht bleef kijken. 'Heb je het ontwerp zelf gemaakt of gebruik je sjablonen?' vroeg ze en deed haar best om haar stem vast te laten klinken.

'Sjablonen. Ik heb ze in een kinderboek gevonden en vergroot.'

Jennifer vond het boeiend. 'Bedekt de schildering de hele muur?'

Heather grinnikte. 'Ja. Frank mag het onderste gedeelte schilderen.'

Frank kwam weer binnen met een blad vol koffiemokken. Hij deelde ze uit. Achter hem aan liep een zwarte samojed de kamer binnen.

'Ha, Blackie,' begroette Scott de hond.

'Wat een mooie hond.' Het dier kwam naar haar toe. Jennifer streelde de warme vacht op de rug van de hond.

'Wil je haar puppies zien, Jennifer?' bood Heather aan.

'Ja, graag.'

Heather gebaarde dat haar man en haar broer moesten blijven zitten. 'Doe geen moeite. We zijn zo weer terug.'

Scott voelde Jennifers polsslag versnellen. Hij drukte zachtjes haar hand terwijl ze opstond. De dames verlieten de kamer en liepen door het huis naar de patio erachter waar een kleine kas was gebouwd.

'Sorry, Jennifer, maar ik kan moeilijk over mijn broer praten als hij in de kamer zit. Hoe vind je hem, tot nu toe?'

Jennifer grinnikte. Heather was fantastisch. 'Ik mag hem graag, Heather.'

Heather glimlachte. 'Mooi zo.' Ze hield de deur van de kas voor Jennifer open. 'De puppies wonen voorlopig hier.' Ze knipte een van de lampen aan. Het was warm binnen en het rook er vochtig, naar aarde, bladeren en bloemen.

Jennifer liep langzaam achter Heather aan, in beslag genomen door de planten, de bloemen, de viooltjes. Ze bleef staan en raakte voorzichtig de blaadjes van een paars viooltje aan.

'Vind je die mooi? Het is een van mijn favorieten.'

'Het is prachtig.'

'Ik zal je er een paar mee naar huis geven. Het enige wat ze nodig hebben, is water en zonlicht. Daar doen ze het prima op.'

Jennifer trok een gezicht. 'Ik heb net mijn laatste violen

om zeep geholpen. De bloemen om mijn terras overleven op puur geluk. Ik sta niet bekend om mijn groene vingers.'

Heather lachte. 'Planten verzorgen kun je leren. Kijk maar naar Scott. Bij hem werd alles binnen een week bruin, maar hij is in de loop der tijd beter geworden.'

'Wil je zeggen dat Scott zijn planten water geeft?'

Heather lachte. 'Dat zal je nog verbazen.'

De vier puppies lagen dicht tegen elkaar aan op een quilt in een grote mand. Ze sliepen allemaal.

'Heather, wat lief.' Behoedzaam streelde Jennifer de zachte vacht van de twee die het dichtst bij haar lagen.

'Ja, hè? De kinderen zijn er gek op.' Heather tilde een van de puppies op. 'Dit is Pepper. Hij is de enige die niet helemaal zwart is. Hij heeft twee witte voetjes.'

Jennifer grinnikte. 'Schattig. Hoe heten de anderen?'

'Het hondje dat het dichtst bij jou ligt heet Choc, een afkorting van chocola, daarnaast ligt Gretta en de laatste heet Quigley.'

Jennifer stak haar hand uit om de laatste pup te aaien. Hij werd wakker, deed zijn oogjes open en likte haar hand. 'Wie heeft zijn naam bedacht?'

Heather glimlachte. 'Scott. Hij is van plan hem over een paar weken te adopteren.'

'Daar krijgt hij zijn handen vol aan.'

Heather legde Quigley weer op de quilt. 'Dat denk ik ook.' Heather kreunde toen ze weer rechtop ging zitten.

'Wanneer komt de baby?'

'Over acht weken. Wil je de babykamer zien, Jennifer?'

Jennifer wilde het aanbod afslaan, maar tegelijkertijd wilde ze het risico ook nemen. Ze was benieuwd wat Heather in de babykamer aan het doen was. Ze wilde de muurschildering zien. Ze besloot mee te gaan. 'Graag.'

Heather ging haar voor naar binnen en liep de trap op naar de tweede verdieping.

Jennifer aarzelde in de deuropening van de kamer en dwong zichzelf toen naar binnen te stappen. De meubeltjes waren naar de zijkant van de kamer geschoven, zodat de muur waar Heather mee bezig was vrij was. Jennifer keek de kamer rond. 'Heather, wat prachtig.' Ze zag dat de kleuren zorgvuldig gekozen waren, zodat noch roze, noch blauw overheerste. 'Weet je al of je een jongen krijgt of een meisje?'

'Nee. We hebben besloten het af te wachten.'

Jennifer glimlachte. 'Heb je een voorkeur?'

'Geen sterke. Ik ben gelukkig als de baby gezond is. Ik weet al dat ik met een keizersnede moet bevallen. Ik heb een heupoperatie gehad en daardoor kan ik niet gewoon bevallen. Daar verheug ik me niet op.'

'Je weet het in ieder geval van tevoren. Het zou vreselijk zijn om uren weeën te moeten verdragen en dan alsnog een keizersnede nodig te hebben.'

Heather kreunde. 'Zeg dat wel.'

'Mooie gordijnen, Heather. Heb je die zelf gemaakt?'

'Dat heeft mijn moeder voor me gedaan.'

'Dit wordt hun derde kleinkind?'

'Ja. Scott heeft mama teleurgesteld. Ze hoopte altijd dat hij als eerste kinderen zou krijgen.'

Jennifer dacht over die opmerking na en kreeg daarmee bevestigd wat ze al vermoedde. Ze liep naar de muur om de schildering beter te bekijken. Als ze goed keek, zag ze in potlood de omtrek van de afbeeldingen die nog op de muur moesten komen. 'Het is heel fijntjes.'

'Ik ben er veel langer mee bezig dan ik van plan was. De bladeren hebben zoveel details.'

'Ik zie een luipaard,' zei Jennifer verrast toen ze afbeelding zag.

Heather kwam naast haar staan en streek met haar vinger over de potloodlijnen. 'Hij neemt zo'n centrale plaats in de schildering in dat ik nog niet de moed heb gevonden om hem te gaan schilderen.'

Jennifer knikte. 'Je hebt in ieder geval nog genoeg bladeren om te oefenen.'

Heather glimlachte. 'Precies.'

Toen ze alles in het kamertje bekeken hadden en de plannen voor de meubeltjes en de kleuren hadden besproken, liepen ze samen naar de gang. 'Hoe vond je de musical?' vroeg Heather terwijl ze de trap afliepen.

'Geweldig. Scott heeft me verteld dat hij jou heeft laten zitten.'

Heather lachte. 'Dat heb ik hem vergeven. Ditmaal gebruikte hij in ieder geval zijn werk niet als excuus.'

'Heb ik het mis of werkt Scott echt te hard?'

Heather dacht goed over die vraag na. 'Hij is de eerste in onze familie die zo'n verantwoordelijke positie heeft veroverd. Ik weet niet goed wat normaal is voor zo'n functie. Ik weet wel dat hij zich niet goed kan ontspannen, dat hij voortdurend over zijn werk nadenkt. Hij vindt het moeilijk om een leven naast zijn baan te hebben.'

Jennifer knikte bedachtzaam. 'Bedankt, Heather.'

'Scott vertelde me dat je net weer een boek af hebt?'

'Dat klopt.'

'Ik heb al je boeken gelezen. Je schrijft heel goed, Jennifer.'

'Dank je,' zei Jennifer overrompeld.

Heather grinnikte. 'Niet zo bescheiden. Ik ben jaloers op je talent. We moeten binnenkort eens samen gaan lunchen. Ik wil heel graag horen hoe het is om schrijver te zijn.'

Jennifer lachte. 'Dat lijkt me leuk.'

Ze voegden zich weer bij de mannen in de zitkamer. Jennifer glimlachte naar Scott om hem te laten weten dat het goed met haar ging. Het feit dat ze haar tochtje naar de kinderkamer had overleefd, was haar grootste prestatie in weken. Ze was heel opgelucht dat ze de ervaring achter de rug had, maar ook heel blij dat ze was meegegaan.

Al snel daarna kwam er een einde aan de avond. Zonder dat ze het had gezegd, wist Scott dat zijn zus moe was. Frank werd naar de kas gestuurd om twee prachtige violenplanten te halen. Jennifer nam het cadeautje dankbaar aan.

Ze namen afscheid van elkaar zonder het te lang te laten duren.

Jennifer legde haar hoofd tegen de hoofdsteun van haar stoel toen Scott de oprit afreed. Ze slaakte een diepe zucht van verlichting.

'Vond je het zo moeilijk?'

Jennifer deed geen poging haar antwoord af te zwakken. 'Ja.'

Scott keek haar nieuwsgierig aan en wenste dat ze een verklaring zou geven.

Het enige wat hij had gezien, was dat Heather en Jennifer goed met elkaar overweg konden en al met elkaar bevriend begonnen te raken. Jennifers oordeel over het bezoek sloot niet aan bij zijn observatie. 'Waarom vond je het dan zo moeilijk?' vroeg Scott, die het idee had dat hij moest aandringen om antwoord te krijgen.

'Ze is zwanger,' antwoordde Jennifer ten slotte.

'Is dat een probleem?'

Ze knikte.

Scott keek naar Jennifer om uitleg te krijgen. De uitdrukking op haar gezicht weerhield hem ervan door te vragen. Ze had veel verdriet. Hij stak zijn hand uit en pakte de hare. *Hier zit de moeilijkheid, nietwaar, God?* 'Praat met me, Jennifer. Wat is er aan de hand?'

Het werd tijd het hem te vertellen. Ze veranderde abrupt van onderwerp. 'Kunnen we op het strand gaan wandelen? Red je het om nog een keer laat naar bed te gaan?'

Haar verzoek verbaasde hem. 'Natuurlijk, als jij dat wilt.'

'Graag.'

7

Zelfs met haar jas aan vond Jennifer de avond nog te koud om ver te wandelen en haar schoenen waren niet geschikt om mee op het zand te lopen. Op Scotts voorstel liepen ze terug naar zijn huis. Alle lichten waren uit en het vuur dat om de houtblokken in de open haard flakkerde, zette de kamer in een zachte gloed. De enige geluiden waren luid geknapper en gesis als de hars in het hout vlam vatte.

Hij trok haar voorzichtig op de bank tegen zich aan. Met haar hoofd op zijn schouder keek Jennifer een tijdje zwijgend naar de vlammen. Ze kon Scotts ademhaling voelen en hoorde zelfs zijn hartslag. Zijn armen, die om haar middel lagen, waren sterk en vertrouwenwekkend. Het was zo fijn om dicht bij hem te zijn. Het gaf haar een veilig gevoel.

'Ik ben een baby verloren. Een meisje,' zei Jennifer zacht in de stilte.

Ze voelde Scotts reactie, de plotselinge roerloosheid toen zijn adem stokte. 'Wanneer Jennifer?'

Hij begreep haar verdriet. Dat merkte ze aan zijn stem, aan de manier waarop hij haar plotseling in zijn armen nam. Hij begreep haar verdriet en leefde met haar mee. Ergens in Jennifers binnenste ontstond een sprankje hoop. Ze had zoveel risico genomen door die woorden te zeggen, door Scott te laten zien dat de herinnering nog rauw was en niet genezen. Met slechts één verkeerd woord kon hij haar zo kwetsen.

Ze huilde. Ze was zo bang geweest dat Scott boos zou zijn dat ze het hem niet eerder had verteld.

Scott keek neer op het gezicht van de belangrijkste vrouw die ooit in zijn leven was geweest en hij moest zijn ogen dichtdoen voor de pijn die hij zag. Hij sloeg zijn armen nog vaster om haar heen. 'Alles komt goed, liefje. Alles komt weer goed.' Hij wist niet wat hij anders moest zeggen. Zacht wiegde hij haar in zijn armen en liet haar huilen. Hij voelde ook een paar tranen over zijn eigen gezicht lopen. Al die tijd had ze die herinnering voor zichzelf gehouden. Nu viel alles op zijn plaats. Het feit dat ze boos op God was. Haar aarzeling om echt met hem te praten. Scott kreunde. Haar onwil om in de buurt van jonge kinderen te zijn. Waarom had hij niet gezien dat er iets heel ernstig mis was? Deze vrouw voerde zo'n heftige strijd tegen haar verdriet dat haar hart er bijna door bezweek. 'Jennifer, liefje, het komt goed.' Voorzichtig veegde hij de tranen weg die over haar gezicht stroomden. Een baby. Ze zou zo'n fantastische moeder zijn geweest.

'Jennifer, vertel me wat er is gebeurd.' Hij moest het weten. *God, help haar alstublieft het me te vertellen.*

Er viel een lange stilte terwijl ze probeerde zichzelf in de hand te krijgen. Scott wachtte, streelde zacht haar armen en voelde hoe haar rug af en toe schokte. Ze had zoveel verdriet.

'Ik kon de zwangerschap niet uitdragen. Ze werd veel te vroeg geboren.' Ze slaakte een trillende zucht. 'Ze was zo mooi, Scott. Zo ontzettend klein. Ze woog maar twee pond. Haar voetjes waren maar twee centimeter, met haar vingertjes kon ze niet eens mijn pink omspannen. Ze was nog geen dertig centimeter lang en ze was de mooiste baby die ik ooit heb gezien.' Een snik ontsnapte haar en ze haalde diep adem. 'Ze zeiden dat ze niet zou blijven leven. Haar longetjes waren nog niet rijp en het was zo'n strijd voor haar te moeten ademen voordat ze daar fysiek klaar voor was. Maar ze werd levend geboren en ze wilde blijven leven. Dat zag je aan haar blauwe ogen. Het was zo'n vechtertje.'

Scott streek voorzichtig het haar uit Jennifers gezicht. Hij keek naar haar en zag haar pijn, de ongelooflijke intensiteit van de liefde die ze voor haar dochter had gevoeld. In zijn eigen hart ervoer hij het overweldigende verdriet om wat er zou volgen. *God, waarom?*

Jennifer glimlachte bij de herinnering aan het verleden. 'En ze bleef leven, Scott. Uiteindelijk leerde ze zuigen en begon ze aan te komen. Ze werd sterker en de artsen begonnen zelfs te zeggen dat er wonderen gebeurden. Ik begon kleine kleertjes voor haar te maken, zodat ik iets zou hebben om haar aan te trekken als ze naar huis kwam. Ik bracht mijn dagen in het ziekenhuis door. Ik hield haar vast en vertelde haar over haar vader en dan glimlachte ze naar me met die levendige, blauwe oogjes.'

Er viel een lange stilte die Scott niet verbrak. Hij was er niet toe in staat.

'Ze was tien weken toen ze die verkoudheid opliep. In de laatste week, toen ze geen energie meer had om te bewegen, lag ze in de couveuse maar naar me te kijken en knipperde ze met haar ogen als ik tegen haar praatte. Ademhalen was zo'n worsteling voor haar. Ik stak mijn hand in de couveuse onder alle slangetjes door en streelde haar armpje en bad een heel eenvoudig gebed. 'Here, ze heeft weer lucht nodig.' En als ze dan ademhaalde, zei ik 'Dank U' en bad ik opnieuw. We waren een team. Ik bad, God verhoorde en zij haalde adem.'

De woorden stopten. Een sterke huivering voer door haar lichaam. 'Woensdagavond tien december om twee minuten over tien bad ik en verhoorde God me niet meer. Mijn baby haalde geen adem meer.'

O, God, hoe kon U Jennifers geloof zo ongevoelig verwoesten? Waarom is Jennifers baby zo gestorven en hebt U haar geloof te gronde gericht? Nog nooit van zijn leven was Scott zo kwaad geweest. Noch op een persoon, noch op zijn God. Maar intense woede overviel hem toen hij Jennifers verhaal hoorde.

'Hoe heette ze, Jennifer? Hoe heette je dochter?'

'Colleen,' fluisterde ze. 'Colleen Marie St. James.'

Hij belde niet vaak zijn zus midden in de nacht, maar toen hij Jennifer om twee uur naar huis had gebracht, draaide hij Heathers nummer. Hij moest met iemand praten. Ze nam op toen de telefoon voor de derde keer overging. 'Spriet.'

'Wat is er, Scott? Is het mama?' Haar stem klonk geschrokken.

'Nee, de hele familie maakt het goed. Ik moet met je over Jennifer praten.'

Het bleef een tijdje stil terwijl ze wakker werd en probeerde zich te concentreren. 'Wat is er dan aan de hand, Scott?'

'Ik ben er net achter gekomen dat Jennifer een dochtertje heeft verloren, Spriet.' Hij slaakte langzaam een bevende zucht. 'Toen ze het me vertelde, kon ik me wel beheersen, maar nu stort ik in. Ik weet niet wat ik moet doen. Ze is verscheurd door verdriet om het verlies van haar dochter.'

'O, Scott. Had ik dat maar geweten. Ik heb de hele avond over mijn zwangerschap gepraat en haar de babykamer laten zien.'

'Je wist het niet. We wisten het geen van beiden. Ik had

de puzzelstukjes eerder aan elkaar moeten passen.' Hij haalde opnieuw diep adem om de tranen, die diep uit zijn binnenste opwelden, te onderdrukken. 'Jennifer was zwanger toen Jerry stierf. Ze deed haar best om sterk te blijven omwille van de baby, maar de spanning werd haar te veel en Colleen werd ruim twee maanden te vroeg geboren. Tegen de verwachtingen in overleefde ze de eerste paar dagen en begon ze al snel sterker te worden. Na twee maanden was er sprake van dat ze naar huis zou mogen. Toen werd ze ziek en verslechterde haar gezondheid. Ze was drie maanden toen ze stierf.

Jennifer geeft zichzelf er de schuld van dat het kindje is gestorven. Ze verwijt het zichzelf dat het te vroeg werd geboren. Ze kon er nauwelijks over praten vanavond. Ze had zoveel verdriet.' Hij haalde zijn hand door zijn haar. 'Ik weet niet hoe ik haar moet helpen, Spriet.'

'Geef haar de tijd, Scott. Ze rouwt in ieder geval. Dat is beter dan dat ze haar verdriet over het gebeurde wegstopt.'

'Ik kan haar nu onbedoeld erg kwetsen. Moet ik erover praten nu ik het weet? Of juist proberen er niet over te praten?'

'Heeft ze familie in de buurt?'

'Haar broer en zijn vrouw. Volgens mij heeft Jennifer zowel met Peter als met Rachel een goede band.'

'Laat haar het tempo dan maar aangeven, Scott. Uit wat je hebt verteld, maak ik op dat ze over haar overleden man tamelijk open is geweest.'

'Ja.'

'Ze komt wel op een punt waarop ze ook zo over Colleen kan praten. Ze heeft alleen tijd nodig.'

'Bedankt, Spriet. Sorry dat ik je wakker moest maken.'

'Dat geeft niet, Scott. Ik zal voor jullie beiden bidden. Je kunt dit wel aan. Probeer je vannacht alsjeblieft geen zorgen te maken. Probeer wat te slapen.'

'Ik zal mijn best doen.'

Hij legde langzaam de telefoon neer nadat hij Heather welterusten had gewenst. Tijd. Zijn idee over de periode die ze nodig zou hebben, was zojuist vervangen door een nieuwe realiteit. 'Jennifer, ik zal je alle tijd geven die je nodig hebt. Dat beloof ik,' fluisterde hij. 'Maar ik sta niet toe dat je weer in je schulp kruipt. Niet nu je eindelijk de confrontatie met je verdriet bent aangegaan. We komen hier samen doorheen. Ik laat je niet meer alleen met je pijn.'

Hij lag die nacht uren wakker en streed met God over de zinloze manier waarop Colleen was gestorven. Hij was boos om het verdriet, boos om het wrede feit dat zo'n eenvoudig gebed recht vanuit het hart niet was verhoord. Zijn boosheid veranderde de omstandigheden niet, maar hij bemerkte bij zichzelf een intense bereidheid met God samen te werken om er in ieder geval voor te zorgen dat Jennifer een antwoord kreeg op de waaromvraag. Ze werd zijn vrouw. Zijn God kon haar niet zo laten zitten. Hij moest toch op zijn minst haar pijn genezen.

U hebt haar nu drie jaar ontredderd achtergelaten, God. Dat klopt niet. Ik ken U. Zo handelt U niet. U verscheurt niet om daarna weg te lopen. Waarom hebt U haar niet geholpen? Waarom hebt U niet ingegrepen? Zo bent U niet. U moet Zich hier weer mee gaan bezighouden en haar pijn verzachten. Een van Uw namen is toch Trooster? Ik zie hier geen liefde of troost. Schenkt het U plezier om haar gevangen te houden in haar verdriet? Hoe kunt U dit de vrouw die ik liefheb, aandoen?

'Hallo,' zei Scott zacht toen ze de deur opendeed. Hij wenste dat hij zijn zonnebril had opgehad, meer dan drie aspirines had geslikt, meer had gedaan om de pijn achter zijn ogen te verlichten. Zodra hij dacht dat het wel kon, was hij naar haar huis gegaan. Hij wilde niet dat hun eerste gesprek een telefoongesprek zou zijn. Hij wist dat ze door haar verdriet een klap zou krijgen en het laatste wat hij wilde was afstand tussen hen als ze met elkaar praatten. Ze zag er vreselijk uit, maar dat kon hem niet schelen. Hij voelde zich net zo beroerd als zij.

'Hoi,' antwoordde Jennifer zacht zonder hem aan te kijken. Ze deed de deur verder voor hem open en Scott stapte naar binnen. Ze voelde zich vanochtend heel ongemakkelijk en wist niet wat ze moest zeggen na gisteravond. Ze wist dat ze er ontoonbaar uitzag en dat hielp niet bepaald.

'Ik heb deze voor je meegebracht.' Hij haalde achter zijn rug drie rozen vandaan die met een lint bijeengebonden waren. Een rode, een zalmroze en een witte.

'Dank je, Scott,' zei ze vechtend tegen haar tranen. Waarom moest hij zo aardig zijn? 'Ze zijn prachtig.'

Scott keek naar haar terwijl ze de bloemen naar de woonkamer bracht en ze in een vaas op het bijzettafeltje zette. Hij fronste zijn wenkbrauwen. 'Jennifer, heb je wat kunnen slapen vannacht?'

Ze veegde een traan weg en schudde vermoeid haar hoofd. 'Ik dacht maanden geleden dat ik die huilbuien achter de rug had, Scott. Gisteravond was ik zodra ik mijn ogen dichtdeed, weer terug in de wachtkamer van het ziekenhuis waar ik op nieuws over Colleen wachtte. Of ik droeg weer die vreselijke groene jas die ik altijd aan moest als ik bij haar was en haar probeerde vast te houden ondanks al die apparaten om haar heen' – ze trok een gezicht – 'of ik herinnerde me hoe het was toen ze stierf.'

Scott liep naar haar toe. Hij pakte haar voorzichtig bij haar schouders en draaide haar naar zich toe. 'Kijk me eens aan, liefste.'

Uiteindelijk deed ze het.

Hij haatte de blik in haar ogen. Ze stierven weer. 'Ik ben blij dat je me hebt verteld hoe moeilijk het is geweest. Ik ben boos op God om de manier waarop Colleen is gestorven. Ze was je dochter en je had niet zowel je man als je kind mogen verliezen. Maar je moet je verdriet verwerken en doorgaan, Jennifer. Je hebt geen keus. Er komt een tijd dat je andere kinderen hebt.' Het was de enige hoop die hij gisteravond had kunnen ontdekken. Ze zou weer kinderen krijgen. En als God het wilde, zouden het de zijne zijn. Op dit moment beangstigde dat idee haar. Ze was bang om weer kinderen te krijgen. Dat wist hij. Dat voelde hij. Maar na verloop van tijd zou haar verdriet slijten.

Jennifer zei niets. Ze knipperde een paar keer met haar ogen en hij wist niet eens of ze hem wel had gehoord. Ze draaide zich om en liep naar het raam. Ze masseerde haar nek en hij vroeg zich af hoe erg haar hoofdpijn was. 'Het spijt me dat ik het je niet eerder heb verteld,' zei ze. 'Ik heb een paar keer over haar willen praten, maar ik kon nooit de juiste woorden vinden.'

De muur die hij had gevreesd, stond tussen hen in. Hij zou vandaag niet dicht bij haar verdriet komen. Ze had haar pijn en haar gevoelens van rouw zover weggestopt dat hij er niet bij kon. Scott deed zijn ogen dicht en haalde diep adem. Dit was niet het moment om aan te dringen. Ze had dringend een pauze nodig. De crisis van de ochtend dat hij haar had ontmoet, was niets vergeleken met de crisis die nog zou komen, tenzij ze hulp kreeg. Ze zou onder dit verdriet bezwijken. Ze had niet geslapen en haar emoties begonnen verdoofd te raken. Ze had mentaal noch fysiek de reserves die ze nodig had om het verleden te verwerken. En als hij niet oppaste, zou ze zijn aanwezigheid gaan ervaren als iets wat haar pijn verergerde. Hij wist van haar gebed, hij kende de details van haar geloofscrisis. En haar broer, Peter, kende die niet. Dat was iets wat hij zich die nacht op een zeker moment had gerealiseerd. Ze had Peter en Rachel niet verteld dat ze had gebeden of Colleen mocht blijven ademhalen. Dat was haar persoonlijke strijd met God gebleven. Het feit dat hij ervan wist, maakte hem nu gevaarlijk voor haar. Als hij niet voorzichtig was, zou ze hem op een afstand gaan houden, net zoals ze haar verdriet probeerde te verdringen.

Met inzicht dat rechtstreeks van God leek te komen, vroeg hij: 'Heb je zin om een paar uur het meer op te gaan? Het belooft een relatief warme, zonnige dag te worden. We kunnen zelfs wat gaan vissen als je dat leuk vindt. Op het water is het rustig. Daar hoef je nergens over na te denken en alleen maar op je dobber te letten. Misschien helpt het je om te slapen. Op mij hebben de wind en het water die uitwerking altijd wel.'

Ze draaide zich om en keek naar hem met dezelfde rustige, onderzoekende blik die ze hem op de steiger had geschonken op de ochtend dat ze was teruggekomen naar het strand. Haar ogen straalden innerlijke kracht uit, reserves die hij haar had zien aanspreken op die allereerste ochtend toen ze zo moe was geweest dat ze nog maar nauwelijks recht kon lopen. 'Neem je vandaag vrij van je werk?'

'Ik dacht dat je wel wat gezelschap zou willen.'

Het leverde hem een lieve, oprechte glimlach op. Die verdween te snel, maar schonk hem toch hoop. Ze kwam weer bij hem staan en pakte stevig zijn hand vast. 'Dank je, Scott. Dat waardeer ik echt. Ja, laten we maar een poosje het meer opgaan. Ik hou van vissen. Zal ik iets te eten meenemen?'

'Ik stop wel wat drankjes in een koelbox om mee te nemen. Als we iets vangen, kunnen we dat voor de lunch klaarmaken. Zo niet, dan is er een restaurant vlak bij de haven. Dan eten we daar wel iets,' antwoordde Scott improviserend.

Ze leek bereid de regie aan hem over te laten. 'Ik ga me even verkleden. Ik ben zo terug.'

Jennifer trok andere kleren aan. Ze bewoog zich langzaam en geforceerd. Haar reserves waren uitgeput en ze was onvoorstelbaar moe. Ze had al besloten dat ze op Scott zou leunen, desnoods letterlijk als hij dat goed zou vinden. Ze had er genoeg van om met God te strijden, genoeg van om sterk te zijn. Het kon haar niet meer schelen. Ze zou vandaag al haar ellende hier thuis laten en er zo lang mogelijk niet aan denken. Het was zo'n lange, pijnlijke nacht geweest. Ze had geen tranen meer om te vergieten. Uiteindelijk was ze in de deuropening gaan staan van de kamer die ze eens voor haar dochter had ingericht als babykamer en ze had er staan snikken tot ze dacht dat haar hart zou breken. Maar haar hart was heel gebleven en de uren waren verstreken en toen de zon opkwam, was ze ten slotte uitgeput naar de keuken gegaan om koffie en toast te maken.

Ze verlieten het huis. Scott droeg haar windjack en lette goed op of ze haar gordel vastmaakte toen ze in de auto zat. Jennifer legde haar hoofd tegen de hoofdsteun, deed haar ogen dicht en luisterde naar de muziek die Scott had aangezet. Toen ze bij zijn huis kwamen, was ze bijna ingedut.

Terwijl ze samen naar de steiger liepen, keek Jennifer naar Scott. Hij hield haar hand stevig vast en ze was ongelooflijk dankbaar dat ze niet meer alleen was. Toen ze de boot zag, glimlachte ze. Hij was speciaal ontworpen om mee te vissen.

De aanblik ervan bracht oude herinneringen boven en ze was blij dat ze gekomen was.

'Voorzichtig.' Scott stak zijn hand uit om haar te helpen bij het instappen.

De boot had vier zitplaatsen en Jennifer nam het stoeltje in het midden.

Scott gaf haar een zwemvest.

Toen hij een plekje voor de koelbox en de handdoeken had gevonden, ging hij zitten. Scott stak zijn sleutel in het contact en de buitenboordmotor startte onmiddellijk. Hij liet hem stationair draaien en stond op om de touwen los te maken. 'Ik vaar eerst naar de havenwinkel om benzine en aas te halen en daarna varen we naar de Westminsterbrug.'

Jennifer knikte.

Toen ze het gedeelte van het meer verlieten waar ze niet hard mochten varen, voerde Scott hun snelheid op tot de boeg van de boot zich uit het water verhief. Jennifer liet de afgelopen nacht bewust achter zich en dwong zichzelf om te ontspannen. En tot haar verbazing merkte ze dat haar humeur opklaarde als een bewolkte hemel. Het was alsof de zon doorbrak en haar duistere gevoelens maakten plaats voor de helderheid van een prachtige dag.

Toen ze bijna vijf minuten hadden gevaren, passeerden ze Courtline Point en bereikten ze het open water. De wind nam toe.

Jennifer draaide zich om naar Scott.

'Wil je dat ik langzamer vaar?'

Jennifer schudde haar hoofd. 'Het gaat prima. Die spetters zijn koud, zelfs met mijn jack aan.'

'Over vijf minuten zijn we bij de havenwinkel.'

Scott nam gas terug toen ze de beschutte baai bereikten. Jennifer draaide zich weer om naar de boeg en streek ongeduldig haar haar uit haar ogen. Ze had het in een staart moeten doen voordat ze vertrokken. Het zou haar twintig minuten kosten om de klitten eruit te borstelen.

De havenwinkel bleek op pontons in de baai te drijven. Er waren aanlegplaatsen voor vijftig boten. Scott stuurde de boot naar de oostzijde, zodat hij bij de benzinepompen kon aanleggen. Omdat hij zich concentreerde op de afstand tot de aanlegplaats, zag hij pas dat Jennifer het voorste aanlegtouw vasthad toen de boot met een zachte schok de steiger raakte. Ze gooide de lijn om de aanlegpaal en trok de boot helemaal tegen de steiger. 'Goed, Scott, zet de motor maar uit.' Ze sloeg het touw vier keer in een achtvorm om de twee verticale pennen van de paal en draaide elke lus een keer extra om, zodat de lijn niet zou los raken.

'Bedankt.'

'Graag gedaan' Ze keek zoekend de boot rond. 'Heb je een aasemmertje?'

'Links achter je in de leefbak,' antwoordde Scott. Hij stapte van de boot op de steiger. Hij had iets gemist. Het voorste aanlegtouw was op precies dezelfde manier vastgemaakt als het achterste, dat hij zelf had vastgemaakt. Jennifer had eerder gevaren.

Scott pakte de aasemmer en stak zijn hand uit om haar uit de boot te helpen. Ze nam hem zonder aarzelen aan. 'Dank je.'

Ze volgde Scotts voorbeeld en gooide haar zwemvest op de achterste stoel. 'Gaan we eerst benzine halen of aas?'

'Aas,' besloot Scott.

Jennifer liet het aas aan Scott over en dwaalde door de winkel. Tegen de achterwand stond een verzameling pocketboeken. Ze bladerde door een detective die ze herkende.

'Jennifer.'

125

Ze draaide zich om en zag verrast dat Scott naast haar stond.

'Probeer deze eens.' Hij had een zonnebril in zijn hand.

'Scott, ik heb geen...'

Hij onderbrak haar met een glimlach. 'Probeer hem nou eens.'

Jennifer zette de zonnebril op.

'Wat vind je ervan? Past hij goed?'

Ze glimlachte. 'Je hebt een goede keuze gemaakt, Scott. Hij past precies.'

'Mooi zo.'

Hij nam de bril weer van haar aan. 'Wil je me een plezier doen en even rondkijken of ze chocoladekoekjes hebben?'

Jennifer lachte. 'Goed.' Ze gaf hem een zacht duwtje tegen zijn borst. 'Maar je zou aas gaan kopen, Scott.'

'Oké, oké.'

Tien minuten later hielp Scott Jennifer weer in de boot.

'Hoe ver is het naar de Westminsterbrug?'

'Nog een minuut of tien in westelijke richting,' antwoordde hij en zette de aasemmer op een plekje waar hij niet kon gaan schuiven. Jennifer maakte haar zwemvest vast. Ze boog zich voorover om het aanlegtouw los te maken.

Scott startte de motor. 'Daar gaan we, Jennifer.'

Ze maakte de lijn los en duwde de boot van de steiger af. Toen ze het deel van het meer achter zich lieten waar ze niet hard mochten varen, gaf hij gas en schoten ze over het open water. Jennifer zette haar nieuwe zonnebril op. Het was lang geleden dat ze een dag op het water had doorgebracht. Ze was vastbesloten ervan te genieten.

Het meer was lang. Het had overal uitlopers en een groot aantal inhammen en baaien. Scott voer uiteindelijk een van de uitlopers in, die vanaf het meer een kilometer breed was en zich geleidelijk vernauwde. De Westminsterbrug was een spoorwegbrug die verderop op betonnen pijlers over het water was gebouwd. 'We beginnen aan deze kant en volgen dan de halve cirkel van de baai,' legde Scott uit. Hij liet de motor langzamer draaien en voer dichter naar de kustlijn.

Jennifer knikte. Er lagen omgevallen bomen in het water onder hen. Hun enorme wortelstelsels waren nog zichtbaar op de oever en de stammen lagen onder het wateroppervlak. De waterkant was steil en ze zag geen bewijs dat ze boven de bomen dreven die door het meer waren opgeslokt.

Vijf meter van de kant gooide Scott het anker uit. Jennifer deed haar zwemvest uit en hing het over de stoel voor haar. Scott gooide zijn zwemvest naar voren naast het hare. Hij zocht de juiste sleutel en maakte een opbergkastje open waarin hij zijn visgerei bewaarde. Er lagen twaalf verschillende hengels in; verschillende merken, verschillende molens. 'Kies maar, Jennifer,' bood hij aan.

'Die blauwe met die open spoel.'

Scott haalde de hengel voor haar uit het kastje. Voor zichzelf pakte hij een grijze hengel met een open spoel, het verjaardagscadeau van zijn vader.

Jennifer bekeek de hengel. Er zaten al loodjes, een wartel en een haak aan. Het enige wat ze nog nodig had, was een dobber. 'Kun je me die doos met visgerei aangeven?'

Hij gaf hem aan haar.

'Bedankt.' Zacht neuriënd vond Jennifer wat ze zocht. Ze wond de lijn om de dobber en boog het metalen veertje naar achteren om hem op zijn plaats te houden.

Ze draaide zich om naar de aasemmer en pakte een van de grotere witvisjes. Het was glibberig en worstelde om los te komen. Ze stak de haak achter zijn voorvin door zijn rug. Daarna bestudeerde ze de kustlijn een tijdje en ging wat verzitten. Ze wierp haar hengel parallel aan de oever uit.

Scott, die naar haar zat te kijken, knikte goedkeurend. Ze had het duidelijk vaker gedaan. Door parallel aan de waterkant te vissen in plaats van ernaartoe zou ze het grootste terrein bestrijken. Met een glimlach wierp Scott zijn hengel in dezelfde richting uit.

Ze volgden de zuidelijke oever naar de betonnen pijlers van de Westminsterbrug. Scott zag tot zijn plezier dat de spanning van de afgelopen nacht uit Jennifers ogen begon te verdwijnen. Ze was een geboren visser. Ze had een goede kijk op het water, een soepele worp en geduld. Ze genoot overduidelijk. Ze had ook veel meer succes dan hij. Ze ving vier baarzen, waarvan er drie groot genoeg waren om te houden en schoon te maken.

Scott had er plezier in om naar haar te kijken.

Hij moest iets concreets doen om haar te helpen omgaan met haar verdriet. Het was het trauma van het verlies dat haar zo uit haar evenwicht had gebracht. Hij moest haar helpen om de manier waarop Colleen was geboren en gestorven te verwerken. *Trauma*. Dat woord kwam voortdurend in zijn gedachten als hij bad. Jennifer was nog steeds in de greep van wat er was gebeurd. Toen ze die laatste dagen had beschreven waarin Colleen bij elke ademhaling een gevecht had geleverd, had Scott haar in gedachten naast de couveuse zien zitten met haar hand naar binnen gestoken om die van Colleen vast te houden, biddend voor elke teug adem die Colleen nodig had. Hij had de geschrokken uitdrukking gezien die op haar gezicht moest zijn gekomen toen haar laatste gebed om lucht niet was verhoord en Colleen was gestorven.

Trauma.

Scott kon niet bevatten wat een schok het moest zijn geweest toen dat eenvoudige gebed niet werd verhoord.

Jennifer was zo verliefd geworden op Colleen. Dat merkte hij aan haar stem, haar gezicht, haar emoties. Haar dochter te zien sterven… Scott schudde zijn hoofd en kromp inwendig ineen bij de pijn die het beeld opriep.

Hoe kon hij Jennifer weghalen van de plek waar ze zich nu bevond en haar brengen naar een plaats waar ze het trauma kon verwerken? Misschien was ze daar nu al mee bezig. De bioscoop en de schok waarvan hij getuige was geweest. De lange nacht vol tranen die ze net achter de rug had. Ze kwam eindelijk weer tot leven, voelde pijn en rouw en zag haar trauma onder ogen. En ze had de moed gevonden hem over Colleen te vertellen. Dat moesten allemaal wel stappen in de goede richting zijn.

Hij was woedend op God dat Hij hen in deze situatie had gebracht. Hij zou zelf tijd nodig hebben om emotioneel te aanvaarden wat er was gebeurd, maar hij zou wel een manier vinden. Omwille van haar moest hij zorgen dat hij zijn woede in bedwang kreeg. Maar zij had al bijna drie jaar tegen haar boosheid gestreden, hij pas vierentwintig uur. Hij had tijd nodig en ook antwoorden.

Ze bereikten de brug. Scott voer langzaam van de oever naar de grote vaargeul. Hij zette de motor uit toen hij een meter of zeven bij de pijlers vandaan was; ze zouden er nog wel dichter naartoe drijven. 'Ik heb wel eens geluk rond die pilaren,' vertelde hij. 'Het is hier diep, een meter of tien.'

Jennifer knikte. Ze gooide haar hengel uit naar de voorste betonnen pijler.

Scott keek even naar haar, bukte zich toen naar de aasemmer en bevestigde het aas aan zijn eigen haak. Hij gooide zijn lijn naar de tweede pijler uit en het aas viel er vlak voor in het water. Het had het wateroppervlak nog maar nauwelijks geraakt toen zijn dobber verdween.

Jennifer glimlachte. 'Je hebt niet overdreven.' Ze draaide zich om en keek hoe hij de vis binnenhaalde. De hengel boog ver door toen de lijn zich spande. De vis probeerde omlaag te duiken. Scott haalde hem terug naar boven.

'Mooie vis,' merkte Jennifer op toen Scott hem over de rand van de boot tilde. Het was een flinke baars. Ze pakte Scotts lijn en liet haar hand omlaag glijden om de bovenkant van de haak te pakken en de vis stil te houden. Ze bewoog haar hand verder naar beneden over het lijf van de vis en streek de vinnen glad, zodat ze niet zou worden geprikt. De baars was bijna te groot voor haar hand. De haak zat door de zijkant van zijn bek en kwam er gemakkelijk uit.

Jennifer draaide zich om, zodat ze de vis kon meten. 'Zevenentwintig centimeter. Niet gek.'

Scott glimlachte. 'Die kunnen we mooi schoonmaken,' beaamde hij. Hij maakte de leefbak open en Jennifer stopte de baars bij de drie baarzen die zij eerder had gevangen.

Jennifer leunde over de rand van de boot om haar handen af te spoelen. Scott gooide haar een handdoek toe. 'Dank je.' Ze droogde haar handen en hing de handdoek over de stoel.

De volgende vis was weer voor Jennifer. Het was een zonnevis, wat haar vanwege de maat van de haak die ze gebruikte, verbaasde. Ze boog zich over de zijkant van de boot en zette hem voorzichtig terug. Toen ze opkeek, zag ze dat Scott naar haar zat te kijken. 'Wat is er?' vroeg ze, in de war gebracht door zijn blik.

'Je hebt een teer hart.'

'Alleen voor baby's,' antwoordde ze, maar haar glimlach was prachtig.

Ze visten een tijdje bij de pijlers en voeren toen langzaam naar de noordelijke oever. Jennifer had niets gezegd, maar Scott merkte dat ze het einde van haar energiereserves bereikte. Ze waren al bijna drie uur op het water. Hij stond op het punt om voor te stellen naar huis te gaan, toen haar dobber met een ruk onder water verdween door een baars die ruim een meter onder de waterspiegel haar aas had gevonden.

Het was een vechter. Scott haalde zijn eigen lijn in om haar ruimte te geven. Tweemaal zwom de vis op de boot af, tweemaal ging hij er weer vandoor en dwong hij Jennifer haar lijn weer te laten vieren omdat ze anders het risico liep hem kwijt te raken.

Toen hij de derde keer naar hen toe zwom, liet hij zich zien.

'Wauw!'

'Dat is een trofee, Jennifer.' Scott hoopte dat haar lijn het zou houden. Bij de vijfde poging lukte het Jennifer de vis naast de boot te krijgen. Scott stak het schepnet onder hem door en tilde hem in de boot. Boos spartelde de baars in het net dat hem gevangen hield. Scott pakte hem stevig aan zijn onderlip vast. 'Oké, Jennifer.'

Ze schoof het net weg. 'Hoe zit de haak?'

'Door de zijkant van zijn bek.'

Jennifer pakte een tang. 'Hij heeft hem in ieder geval niet ingeslikt.'

Scott hield de vis stevig vast terwijl Jennifer met de haak aan de slag ging. 'Kun je erbij?'

Ze kreeg het oog van de haak stevig met de tang vast en duwde de haak omlaag. 'Ik heb hem.' Ze trok de haak eruit.

'Pak hem goed vast aan zijn onderlip en leg hem dan tegen de centimeter, Jennifer. Laten we kijken hoe groot hij is.' Scott gaf haar de bijzondere vangst terug.

Hij was zwaar, koud. Jennifer legde hem tegen de meetlat op de zijkant van de boot. 'Drieënvijftigeneenhalve centimeter,' besloot ze ten slotte. 'De op een na grootste baars die ik ooit heb gevangen.' Het was een prachtige vis.

'Vind je het leuk om hem te laten opzetten?'

Jennifer keek naar de vis die ze vasthield. 'Nee, deze krijgt zijn vrijheid terug.' Ze boog zich over de rand van de boot en liet de vis in het water zakken. Even lag hij roerloos in haar handen. Hij kon wegzwemmen, maar deed het niet. Toen kletste zijn staart tegen haar hand en was hij verdwenen.

Scott gaf haar een droge handdoek. 'Wat is je record?'

'Drieënzestig centimeter. Die heb ik acht jaar geleden in Lake Tahoe gevangen,' antwoordde ze.

'Met deze heb je er beslist een verhaal bij.'

'Zeg dat wel. Hij was prachtig.'

'Ik denk niet dat we vandaag nog een grotere vangen. Zullen we maar eens teruggaan?'

Jennifer keek spijtig naar het water, maar moest toegeven dat ze aan het einde van haar Latijn was. 'Ja.'

Scott knikte en liep terug naar zijn stoel. Jennifer begon de hengels terug te leggen in het kastje. Ze gaf Scott zijn zwemvest en trok daarna haar eigen zwemvest aan.

'Klaar?'

Ze knikte.

'Waar kunnen we het beste de vis schoonmaken?' vroeg ze toen de boot bij zijn steiger stopte.

'Ik heb er een speciale tafel voor in het boothuis staan. Laat mij het maar doen, Jennifer. Wil jij de koelbox naar binnen brengen?' Hij gaf haar de sleutel.

'Heb je nog iets nodig?'

'Een pan met water om de vis in te doen. Kijk maar in de kast links van de gootsteen.'

'Geen probleem. Ik kom zo terug.'

Scott had al twee baarzen schoongemaakt tegen de tijd dat Jennifer het boothuis binnenkwam. Ze zette de pan op de werktafel naast hem. 'Dank je.'

Jennifer keek hoe hij de baars fileerde. Zijn bewegingen waren soepel en handig. Zwijgend hield Jennifer haar ogen op hem gericht terwijl hij bezig was.

Scott keek op en ving haar blik op. Hij glimlachte. 'Zullen we die filets voor de lunch in aluminiumfolie wikkelen met wat kruidenboter en amandelen en ze op de barbecue leggen? We kunnen ook wat aardappels poffen. In de koelkast staat fruitsalade,' stelde Scott voor terwijl hij bezig was.

'Klinkt heerlijk,' antwoordde Jennifer. Ze glimlachte. 'Ik bedacht net dat ik flinke trek heb.'

Scott grinnikte. 'Niets is lekkerder dan verse vis als je honger hebt.' Hun voetstappen echoden over de hardhouten steiger.

Het was lang geleden dat ze zoiets gewoons had gedaan als tafeldekken, besefte Jennifer terwijl ze borden neerzette. Het was vreemd dat het leven als weduwe zo anders was. Ze vond het niet de moeite om voor één persoon te koken, dus zat ze praktisch nooit aan haar eettafel. Maar al te vaak at ze een paar boterhammen aan haar bureau terwijl ze werkte. Ze had dit gemist.

Toen ze klaar was, liep ze naar Scott, die op het terras was. 'De houtskool is over een kwartiertje heet,' merkte hij op terwijl hij de ventilatieroostertjes onder de barbecue bijstelde. Hij nam het glas koude frisdrank dat ze voor hem had ingeschonken van haar aan. 'Om tijd te sparen, denk ik dat ik de aardappels maar in de magnetron pof. Ik lust wel wat.'

Jennifer grinnikte. 'Anders ik wel.'

Scott bleek een heel eenvoudig recept voor de vis te hebben. Een stuk aluminiumfolie, wat klontjes boter, een beetje citroensap, een snufje knoflookpoeder en veel geschaafde amandelen. De folie vouwde hij goed dicht. 'Lekker,' zei Jennifer.

Scott glimlachte. 'Eenvoudig. Ik eet veel verse vis.'

Jennifer haalde de aardappels uit de magnetron toen Scott de terrasdeuren openschoof en binnenkwam met een schaal versgebakken vis. 'Dat ruikt heerlijk.'

Scott zette de schaal op een onderzetter die Jennifer had gevonden. 'Wacht maar tot je het proeft, Jennifer. Het is verrukkelijk.' Hij schoof haar stoel voor haar naar achteren. 'Wees voorzichtig als je die folie openmaakt. Er komt veel stoom uit,' waarschuwde hij haar.

Jennifer nam een hapje. 'Heerlijk.'

Scott glimlachte.

Ze praatten onder de lunch over koetjes en kalfjes en lieten het onderwerp van de vorige avond rusten. Jennifer at twee pakketjes vis en de gepofte aardappel voordat ze toegaf dat ze vol zat. De fruitsalade was een heerlijk toetje. 'Dat was een fantastische maaltijd.' Ze kon maar net een geeuw onderdrukken.

Scott overwoog of hij haar koffie zou aanbieden, maar het doel van de dag was geweest haar te helpen slapen. Als hij haar nu naar huis bracht, zou ze waarschijnlijk in de auto in slaap vallen en dat was geen comfortabele plaats om uit te rusten. 'Ik heb hier een heleboel logeerkamers, Jen. Waarom doe je geen dutje? Dan breng ik je daarna naar huis. Ik moet wat mensen bellen.' Het lampje van het antwoordapparaat had geknipperd toen hij er voor de lunch naar had gekeken, maar geen van de telefoontjes was dringend geweest.

'Scott…'

'Doe het nu maar.'

'Een bed zou zeer welkom zijn.'

Hij stak zijn hand uit. 'Kom, dan wijs ik je de weg naar boven.' Jennifer liet zich door de gang meenemen naar de trap.

Dit was geen handige zet. Jennifer probeerde woorden te vormen om te zeggen dat ze zich had bedacht, maar ze waren al boven voordat het haar lukte. Bij de eerste deur bleef Scott staan. 'Alsjeblieft.' Het was een prachtige kamer. Behang met een fijn rozenmotief. Dik crèmekleurig tapijt. De ladekast, de boekenplanken en het bed waren allemaal vroeg-Amerikaans antiek. Een fleurige quilt lag netjes opgevouwen aan het voeteneinde van het bed.

Ze zag er verloren uit. Scott dwong zichzelf vriendelijk te glimlachen en haar daar achter te laten. 'Ik zit in mijn kantoor als je me nodig hebt. Het is rechts onderaan de trap. Je kunt het niet missen.'

'Bedankt, Scott,' zei ze aarzelend.

Hij deed zachtjes de deur achter zich dicht toen hij wegging.

Jennifer bleef een tijdje voor de deur staan. Ze probeerde te wennen aan de geluiden van het onbekende huis en haar zenuwen in bedwang te krijgen. Ze zou hier niet moeten zijn. Ze zuchtte. Ze had niet de energie om weg te gaan. Aarzelend liep ze naar het bed. Scott had gelijk. Ze had slaap nodig.

Ze ging op de rand van het bed zitten. Het was een lekkere matras. Niet te hard en niet te zacht. Ze trok haar schoenen uit. Nadat ze er nog even over had nagedacht, sloeg ze de dekens terug en ging liggen. Haar lichaam ontspande zich onmiddellijk. Uitgeput viel ze in slaap.

8

Zachtjes duwde Scott de deur van de logeerkamer open. Het was ruim een uur geleden dat hij Jennifer naar boven had gebracht. Zoals hij had gehoopt, lag ze te slapen. Ze had haar ene hand onder het kussen gestopt, de andere lag gebald onder haar kin. Haar trouwring liet een afdruk achter op haar gezicht. Hij bleef even naar haar kijken en liep toen stilletjes de kamer weer uit.

De staande klok in de gang beneden sloeg half zeven toen Scott opnieuw zacht de deur van de logeerkamer opendeed. Ze had zich al die uren niet bewogen. Scott legde een losse roos op het nachtkastje en schoof een briefje onder de stengel. Met een iets gefronst voorhoofd bleef hij bij het bed staan. Ze was uitgeput. Maar als ze nog langer sliep, zou ze vannacht niet kunnen slapen.

'Jennifer.' Zacht schudde hij haar aan haar schouder. 'Jen, het is tijd om wakker te worden.'

'Ga weg, Jerry,' mompelde ze. Ze draaide zich om en trok de quilt met zich mee.

Hij grinnikte. 'Jennifer, het is Scott. Toe, lieverd, wakker worden.'

Haar gezicht kwam vanonder de quilt tevoorschijn. Ze knipperde een paar keer met haar ogen en kreunde toen. 'Hoe lang heb ik geslapen?'

'Zo'n vier uur,' antwoordde Scott.

Ze wreef met de rug van haar handen over haar ogen. 'Het spijt me, Scott. Ik had thuis ook kunnen slapen.'

Hij grijnsde. 'Geen probleem. Ik vind het fijn als je hier bent. Ik heb schone handdoeken en een nieuwe tandenborstel in de gastenbadkamer gelegd als je je wilt opfrissen. We gaan over twintig minuten eten.' Hij draaide zich om naar de deur.

'Scott.' Hij bleef staan en keek om. Ze haalde haar hand door haar haar. 'Ik moet naar huis. Ik kan mezelf niet langer aan je opdringen.'

Hij glimlachte alleen maar. 'Onzin. Twintig minuten.' Hij liep de deur uit.

Jennifer duwde de dekens weg en ging op de rand van het bed zitten. Op het nachtkastje lag een roos in de knop. 'O, Scott, wat mooi.' Ze pakte de roos op en raakte voorzichtig de bloemblaadjes aan. Het briefje dat eronder lag, was duidelijk voor haar bedoeld. Ze pakte het op. 'Jen, blijf eten. Alsjeblieft. Scott.'

Ze vouwde het briefje op. 'Goed, Scott,' fluisterde Jennifer zacht. Ze hees zichzelf overeind. Haar knieën knikten. 'Hup, Jennifer, wakker worden,' berispte ze zichzelf.

Ze vond de handdoeken en de tandenborstel op de wastafel zoals Scott had gezegd. Toen ze vijf minuten later met een gewassen gezicht en haar verwilderde haar naar achteren gebonden terugkwam in de logeerkamer, trok ze snel de dekens van het bed recht.

Met haar schoenen in haar hand liep Jennifer de trap af. Ze liet de schoenen op de mat bij de voordeur vallen. Scott was in de keuken en neuriede met een melodietje op de radio mee terwijl hij de sla omschepte. 'Ik ruik iets heerlijks,' merkte Jennifer op terwijl ze in de deuropening bleef staan en het tafereel in zich opnam.

Scott keek op. Hij glimlachte. 'Lasagne.' Hij veegde zijn handen af aan een handdoek en kwam naar haar toe. Ze zag er veel beter uit. Haar ogen stonden helder en ze had weer kleur op haar gezicht.

'Hoe voel je je?'

'Niet slecht,' antwoordde Jennifer. 'Een beetje duf.'

Even later gingen ze aan tafel om te eten.

Hij was verliefd op deze vrouw. Scott verzette zich niet tegen die groeiende overtuiging in zijn hart. Zijn huis voelde aan als thuis als zij er was. Hij zou er heel wat voor over hebben om deze situatie tot een permanente te maken.

'Heb je je telefoontjes goed kunnen afhandelen?'

'Ja. Bij de meeste hoefde ik alleen iets uit te leggen.'

Ze knikte. 'Wat heb je gedaan terwijl ik de hele middag lag te slapen?'

Ik heb de middag doorgebracht met overwegen of ik je zou vragen met me te trouwen. Hij sprak de woorden niet uit. Ze was er nog niet aan toe. Ze moest eerst haar verliezen verwerken. Haar man. Haar dochter. Maar op een dag zou ze er klaar voor zijn. Hij was een optimistisch mens; op een dag zou ze eraan toe zijn om te trouwen en weer een gezin te stichten. Hij beantwoordde haar vraag over zijn middag. 'Ik heb gewerkt aan een hondenslaapplaats. Ik mocht van Heather en Frank een puppy uit Blackies nest kiezen.'

Jennifer knikte. 'Quigley is schattig.'

'Dank je. Dat vond ik ook.'

Ze waren klaar met eten. 'Heb je zin in koffie?'

Jennifer knikte. 'Lekker,' stemde ze toe.

Ze ruimden samen af.

'Laten we onze koffie in de bibliotheek opdrinken,' stelde Scott voor.

Hij ging haar voor door het stille huis. Scott duwde de openslaande deuren aan de andere kant van de woonkamer open. 'Dit is de bibliotheek en daarachter is mijn kantoor.'

Het was een kleine, klassiek ingerichte kamer met een tweezitbankje, twee stoelen en twee antieke, mahoniehouten tafels. De muren waren alle vier bedekt met ingebouwde boekenplanken. Ze had wel uren op haar gemak tussen de boeken willen snuffelen. Langzaam liep ze langs de planken en las de titels.

'Jouw boeken staan op de derde plank links.'

Jennifer keek. Ze glimlachte. 'Ze zien er indrukwekkend uit, zo allemaal naast elkaar.'

Scott glimlachte. 'Dat doen ze zeker.'

Jennifer ging op het tweezitsbankje zitten. Scott koos de stoel tegenover haar en strekte zijn benen voor zich uit.

'Wat een heerlijke kamer, Scott.'

'Ik dacht al dat hij je zou bevallen,' antwoordde Scott. 'Ik ben blij dat je vandaag bent meegegaan.'

'Ik heb ervan genoten,' gaf Jennifer toe. Ze nam voorzichtig een slokje van haar koffie. Die was verrukkelijk.

'Het is chocolademokkakoffie,' zei Scott, die zag dat ze verrast was.

'Lekker.'

'Jennifer, heb je zin om dit weekend met me naar de kerk te gaan?'

Ze wachtte even voordat ze antwoord gaf. 'Misschien,' zei ze. 'Waarom vraag je dat?'

'Je moet die relatie herstellen, Jen. Anders zul je niet in staat zijn dingen achter je te laten.'

'Scott, je kunt dingen niet simpelweg herstellen omdat je ze anders wilt. Mijn dochter is gestorven. God was de enige die dat kon verhinderen. Dat heeft Hij niet gedaan. Dat is niet makkelijk te verwerken. Ik voel me verraden.'

'Heb je Hem dat verteld?'

'Ja.'

'Wat antwoordde Hij toen?'

Ze zweeg even. 'Ik heb niet op Zijn antwoord gewacht.'

'Heb je nu een punt bereikt waarop je wel kunt luisteren?'

'Misschien.' Ze moest toegeven dat ze het fijn zou vinden als haar relatie met God weer in orde kwam. 'Als ik met jou naar de kerk ga, kunnen mensen denken dat we een relatie hebben.'

Precies. 'Ik zal mijn best doen je niet in een onhandige situatie te brengen.'

Ze knikte. 'Dan ga ik mee.'

'Bedankt.'

Ze glimlachte even. 'Ik kan niet zo goed zingen. Daar waarschuw ik je maar vast voor.'

'Dat neem ik je niet kwalijk.' Ze zag er vredig uit zoals ze daar op het bankje zat. Ze had haar benen opgetrokken en haar hoofd rustte tegen de rugleuning. Hij begon haar gelaatsuitdrukkingen te herkennen. Ze dacht weer aan het verleden.

'Ik wou dat ik een foto van Colleen bij me had. Dan kon ik je die laten zien. Ze had zulke levendige, blauwe ogen. Ze hield haar hoofdje altijd op een bepaalde manier schuin om naar je te kijken. En dan lachte ze naar je.

'Toen ze geboren werd, was ze zo klein dat het een worsteling voor haar was om wakker te zijn. Dat kostte haar al haar energie. Dus lag ze maar naar me te kijken en met een verbaasde uitdrukking op haar gezichtje met haar ogen te knipperen. Ze moesten haar de eerste twee weken voeden door pleisters op haar rug. De dag dat ze begon te zuigen was prachtig.'

'Wat mis je het meest, Jennifer?'

'Het feit dat mijn leven niet meer om haar draait. Ze gaf me elke dag een reden om op te staan. Ook al zat ik de hele dag bij haar in het ziekenhuis, het was toch routine. Nadat ze was gestorven, was het verschrikkelijk dat ze er niet meer was. Ik was zo aan haar gehecht geraakt.'

'Heb je ooit overwogen om meer kinderen te krijgen?'

'Nee, nooit. Colleen was zo'n traumatische ervaring dat het lang zal duren voordat de intensiteit van die herinneringen afneemt. Ik wil niet het risico lopen dat weer te moeten meemaken.'

'Je hield van Colleen. Van een ander kind zou je met dezelfde intensiteit houden.'

'Het feit dat ik mijn oudste dochter ben kwijtgeraakt, zal altijd in mijn gedachten blijven.'

Ze deed haar ogen open en keek naar hem. 'Scott, als je iemand van wie je houdt, ziet sterven, draag je dat beeld voorgoed bij je. Ik heb niet genoeg ruimte in mijn hart om van een ander kind te houden. Het verdriet om Colleen is te groot. Het overschaduwt alles wat ik de afgelopen drie jaar heb gedaan.'

Scott wilde dat hij de pijn die ze ervoer, kon verzachten. 'Heb je wel eens overwogen over Colleen te schrijven?'

Jennifer schudde haar hoofd en nam een slok koffie.

Het bleef een tijdje stil in de kamer.

'Waarom ben je nooit getrouwd? Je bent geen echt vrijgezellentype.'

Hij glimlachte even. 'Ik weet het niet. Ik ben nooit iemand tegengekomen met wie ik de rest van mijn leven wilde doorbrengen.'

'Heb je een goede relatie met je ouders?'

'Ja. We zijn altijd een hecht gezin geweest. Dat is in

onze familie al een paar generaties zo.'

'Heb je een grote familie?'

'Ik heb vijf neven, die bijna allemaal een gezin hebben en mijn grootouders van mijn moeders kant leven nog. En jij? Is Peter de enige?'

'Ja.'

Hij kon zich niet voorstellen hoe het moest zijn om zo alleen te zijn. Het was een vreselijke gedachte.

Het was moeilijk de avond zo zwaarmoedig te besluiten. Maar hij deed geen poging er een luchtig einde aan te maken. Jennifer had tijd nodig met iemand die alleen maar naar haar luisterde.

'Ik denk dat ik nu maar beter kan gaan.' Jennifer zette haar beker op de tafel. Scott keek op zijn horloge en gaf toe dat het laat werd.

Gemoedelijk zwijgend reden ze naar huis. Ze sloeg haar armen om hem heen toen ze hem goedenacht wenste. 'Bedankt voor vandaag, Scott. Ik had het nodig.'

'Ik ben blij dat ik je kon helpen.' Hij streek zacht met zijn hand langs haar wang. 'Probeer te slapen. Oké?'

Ze knikte. 'Welterusten, Scott.'

9

Het was druk bij de kerk op zondagochtend. Jennifer streek nerveus haar gebloemde jurk glad toen ze uit de auto stapte.

'Je ziet er goed uit, Jennifer.'

Ze was zo zenuwachtig dat ze het compliment nauwelijks hoorde. 'Je zei dat Frank en Heather ook komen?'

Scott knikte. 'Frank doet vanochtend de zondagsschool, dus alleen Heather is in de dienst.' Hij pakte haar hand en hield hun bijbels in zijn andere hand. 'Als je liever niet bij Heather wilt zitten, kan ik ervoor zorgen dat ze niet eens weten dat we er zijn.'

'Nee. Ik wil graag bij iemand zitten die ik ken. Scott, ik haat het om dingen voor het eerst te doen. Al je vrienden zullen zich afvragen wie ik ben.'

Hij glimlachte. 'Dan moeten ze zich dat maar mooi blijven afvragen. We glippen naar binnen en weer naar buiten voordat ze de kans krijgen kennis met je te komen maken.'

'Nee. Als je dat doet, gaan ze zich helemaal afvragen wie je bij je had.'

Hij lachte. 'Maak je geen zorgen, Jennifer. Het zijn aardige mensen. Ze mogen je vast. Zou het echt zo erg zijn als ze wisten dat we bevriend zijn?'

'Waarschijnlijk niet.' Hij deed de glazen voordeur open.

'Maar ik heb hier wel een hekel aan,' fluisterde ze naar hem.

Hij sloeg stevig zijn arm om haar middel. 'Wil je worden voorgesteld als Jennifer of als mevrouw St. James?' fluisterde hij terug.

'Als Jennifer. Wacht... nee. Dan ziet misschien iemand mijn trouwring voor een verlovingsring aan.'

'Als dat gebeurt, zeggen we gewoon dat het zo is,' plaagde hij haar.

'Scott.'

'Spelbreker.' Het leverde hem de glimlach op die hij op haar gezicht probeerde te toveren.

Ze hadden de kerkzaal bereikt. Scott nam Jennifer mee naar het linkergedeelte. 'Goedemorgen, Spriet.'

'Hallo, Scott. Jennifer, ik ben blij dat je kon komen.' Heathers glimlach was oprecht en Jennifer realiseerde zich dat ook zij nerveus was. Scott had zijn zus gebeld om te vertellen dat ze zouden komen. Dat was wel duidelijk. Jennifer schoof naast Heather in de bank.

'Jennifer, deze is voor jou.' Heather gaf haar een kaart. 'Scott heeft me over Colleen verteld. Ik vind het heel erg voor je.'

'Dankjewel, Heather,' antwoordde Jennifer verbaasd. 'Dat had je niet hoeven doen.'

'Ik voelde me zo waardeloos na donderdagavond. Ik had niet ontactischer kunnen zijn.'

'Je wist het toch niet?'

'Ik had opmerkzamer moeten zijn. Het spijt me heel erg.'

Jennifer deed de kaart open en las hem. Ze moest haar best doen om niet te gaan huilen. Ze had zichzelf beloofd dat ze vandaag niet zou huilen. 'Wat een prachtige kaart, Heather. Dankjewel.'

De dienst begon. Jennifer merkte dat ze door de muziek

werd geraakt. Ze vond het fijn om naast Scott te staan en samen met hem uit het liedboek te zingen, zich niet in een omgeving te bevinden waarin anderen medelijdend naar haar keken. Dat was een van de redenen waarom ze niet meer met Peter en Rachel naar de kerk ging. Dat was de kerk die zij en Jerry altijd hadden bezocht en nadat hij was overleden, had ze eenvoudigweg niet geweten hoe ze met het medelijden moest omgaan.

Scott had een goede stem.

Het was zo lang geleden dat ze in een kerk was geweest. Jennifer probeerde alles in zich op te nemen terwijl de dienst vorderde. Het koor zong zacht terwijl brood en wijn werden doorgegeven.

Al was hij nog zo open tegen haar, de man die diep in gebed verzonken naast haar zat, was een mysterie voor haar. Terwijl ze keek hoe hij God zocht en vond, besefte ze dat Scott deze ochtend nodig had gehad. Hier vond hij de kracht om deze moeilijke weken door te komen. Jennifer slikte moeizaam.

God, het spijt me dat ik me zo tegen U heb verzet. Ik weet absoluut zeker dat U dat gebed om adem hebt gehoord. Ik begrijp niet waarom U het hebt verhoord door nee te zeggen. Help me te aanvaarden wat er is gebeurd en help me om door te gaan, het feit te accepteren dat ik geen verklaring zal vinden, dat ik alleen U kan vinden. Ik vraag me nog steeds af of ik toen soms een verkeerd gebed heb gebeden, of ik iets heb gedaan waardoor U het gebed dat ik bad niet hebt verhoord terwijl U de honderd gebeden ervoor wel hebt verhoord. Ik ben nog zo boos, God. Ik probeer die pijn en die boosheid los te laten, maar het is zo moeilijk. Bijna onmogelijk. Als ik U van aangezicht tot aangezicht zie, zal ik begrijpen waarom het zo moest gaan. Wilt U me tot die dag alstublieft de kracht geven om te aanvaarden wat er is gebeurd en om door te gaan? Ik heb U nodig, God.

Heather was degene die haar stilletjes papieren zakdoekjes aanreikte. Jennifer nam ze dankbaar aan. Het leek wel of ze deze maand niets anders deed dan huilen.

Scott greep haar hand. Jennifer verlangde ernaar om haar hoofd tegen zijn schouder te leggen en te vragen om een omhelzing waaraan nooit een einde zou komen. Sommige dingen zouden een wens moeten blijven.

De preek was goed, maar Jennifer onthield er niet veel van.

Toen de dienst voorbij was, vroegen noch Scott, noch Heather naar haar tranen. Het leek alsof ze samen al een plan hadden uitgedacht. Heather was steeds degene die Jennifer voorstelde als ze vrienden tegenkwamen. Jennifer was zich ervan bewust dat mensen benieuwd waren wie ze was. Scott liet geen moment haar hand los. De mensen die ze ontmoette, leken erg vriendelijk.

Ze liepen samen naar de parkeerplaats. Scott was heel trots op haar. Het voelde zo goed om haar aan zijn zijde te hebben. Hij verlangde naar de dag dat ze daar voorgoed zou zijn. Hij zou de dag wel weer met haar willen doorbrengen, maar hij wilde haar niet onder druk zetten.

'Dat ging wel, hè?' vroeg Scott toen ze naar haar huis reden.

'Ja. Ik vind dat je een fijne gemeente hebt.'

'Dat hoopte ik al.'

Een paar minuten later liep hij met haar naar haar voordeur. Voorzichtig legde hij zijn armen om haar schouders en trok hij haar tegen zich aan voor een omhelzing. 'Bedankt,' zei hij zacht en streek haar haar uit haar gezicht. 'Het betekende veel voor me dat je met me meeging.'

Ze beantwoordde zijn omhelzing. 'Het hielp.'

'Daar ben ik blij om.' Hij aarzelde voordat hij haar losliet.

'Ik bel je wel,' zei hij terwijl hij glimlachend een stap achteruit deed.

Ze glimlachte terug. 'Oké.'

Jennifer liep bijna een uur met haar ziel onder haar arm door het huis. Ze zette spullen recht die al recht stonden en dwaalde door de kamers. *Heb je wel eens overwogen over Colleen te schrijven?* De vraag die Scott haar vrijdag had gesteld, liet haar niet los. Ze pakte een schrijfblok en ging op bed liggen. *Als ik over Colleen zou schrijven, wat zou ik dan willen zeggen?* Die vraag schreef ze bovenaan op het lege vel papier. De tranen kwamen. *Dat ik van mijn dochter hield.*

Het werden vier uren waarin haar ziel werd gereinigd. Toen ze met een stijve nek en stijve schouders van het bed opstond, deden haar ogen pijn en had ze kramp in haar hand van het schrijven. Maar het rauwe verdriet was uit haar hart verdwenen. Het stond nu op het papier. Het was iets wat ze kon aanraken, waarover ze kon vertellen en waarover ze kon nadenken. Ze legde het schrijfblok op haar nachtkastje en trok het dekbed over zich heen. Ze had koude voeten, naast het bed lag een berg tissues, haar ogen brandden en ze verlangde wanhopig naar slaap. Maar in haar hart had ze zich de afgelopen drie jaar niet zo goed gevoeld.

God, voor het eerst in drie jaar ervaar ik Uw vrede. Een veilig gevoel, alsof U Uw armen stevig om me heen hebt geslagen. Dank U voor deze dag. Voor alles, voor de onrust die ik voelde voordat ik met Scott naar de dienst ging, voor de muziek, de preek en voor de kans om te genezen door over Colleen te schrijven. Laat dit sprankje geloof alstublieft niet uitdoven. Ik weet dat ik nog een lange tijd van herstel voor me heb.

Ze viel met het licht aan in slaap.

De telefoon ging, schril, dichtbij en onophoudelijk. Moeizaam kwam ze bij haar positieven. 'Hallo?'

'Jennifer, het spijt me, het was niet mijn bedoeling je wakker te maken.'

Ze gaapte en haar kaak kraakte. 'Het geeft niet, Scott.' Ze wreef over haar ogen en knipperde snel met haar ogen om haar wekker scherper te kunnen zien. 'Hoe laat is het?'

'Kwart over zeven.'

Bedoelde hij 's ochtends of 's avonds? Ze had geen idee. 'Ik heb een dutje gedaan. Ik was niet van plan de hele dag te slapen.'

'Ik zat net met Andrew te praten. Ik moet het grootste deel van de week op reis. Ik moet twee klanten in Denver bezoeken.'

Jennifer verdrong de teleurstelling die in haar opwelde. Ze wilde de dingen met hem bespreken waarover ze had nagedacht. 'Ik zal je missen,' zei ze ten slotte, bereid om toe te geven wat voor de hand lag.

'Dat is wederzijds,' antwoordde Scott en ze glimlachte om de frustratie die ze in zijn stem bespeurde. 'Ik zou er wat voor over hebben om onder deze reis uit te kunnen. Ik wil geen kilometers bij je vandaan zijn. Heb je zin om zaterdagavond als ik terugkom met me uit eten te gaan?'

'Natuurlijk.'

'Dank je.' Ze hoorde opluchting in zijn stem. 'Sorry dat ik je wakker heb gemaakt. Ik weet dat je je rust nodig hebt. Ik bel je wel vanuit Denver.'

'Dat zou ik fijn vinden.'

'Elke avond waarschijnlijk.'

Ze grijnsde. Was dit goed of slecht? Ze wist het niet. Maar het voelde goed. 'Ik wacht je telefoontjes wel af,' antwoordde ze glimlachend.

Ze namen afscheid. Jennifer hing de telefoon op en keek naar het plafond terwijl ze glimlachend kreunde. 'God, het was al moeilijk genoeg om weer een afspraakje te hebben. Waarom hebt U me iemand gestuurd die gelijk serieus wordt? Weet U wel zeker dat ik hier klaar voor ben?'

'Je bent zondag met hem naar de kerk geweest,' zei Rachel terwijl ze zich tegenover Jennifer op een stoel aan de keukentafel liet zakken. Jennifer knikte en nam nog een hap van haar sandwich met bacon, sla en pindakaas. Ze had de tomaten doorgegeven. Ze hadden het regelmatig over de kerk gehad sinds Jennifer had besloten om niet meer met Peter en Rachel mee te gaan. Rachel begreep haar redenen wel – omdat ze er vroeger met Jerry naartoe ging, er een geboortefeest voor Colleen had gehad en er zowel voor Jerry als voor Colleen een begrafenisdienst had meegemaakt, vond Jennifer het eenvoudigweg te pijnlijk om er nog te komen. Ze had er een hekel aan om medelijden op de gezichten van de mensen te zien en om zich voortdurend weduwe te voelen. Rachel had aangeboden eens samen met haar in wat andere kerken in hun regio te gaan kijken, maar Jennifer had steeds gezegd dat ze daar nog mee wilde wachten. Ze wilde niet toegeven dat ze geen zin had om naar de kerk te gaan omdat ze nog te boos op God was. De tijd was verstreken.

'Ik ben blij dat je bent gegaan,' zei Rachel.

'Ik ook,' antwoordde Jennifer. 'Het hielp dat niemand daar van Jerry en Colleen wist. Heeft Karen me al vergeven?'

Rachel glimlachte. 'Dat geloof ik wel. Ze vraagt elke week trouw naar je.'

Karen was een goede vriendin van de kerk geweest, maar haar dochtertje was twee weken na Colleen geboren en Jennifer vond het nodig nu afstand te bewaren. 'Ik hoop dat ze begrijpt dat het niets persoonlijks is.'

'Ze begrijpt je wel, Jen,' zei Rachel en gaf haar een schaal

fruitsalade. 'Ga je volgende week weer met hem uit?'
Jennifer knikte.

Het viel niet mee een verhaallijn in elkaar te zetten die echt was gebeurd. Jennifer gooide het schrijfblok terug op de ronde tafel en stond op. Ann had de laatste versie van het boek over Thomas Bradford. Jennifer deed haar best om te bedenken wat ze nu zou gaan schrijven. Ze liep haar kantoor uit, pakte een roman die ze aan het lezen was en liep naar de achtertuin.

Ze ging in de hangmat liggen en staarde naar de blauwe lucht en de witte wolken. Jerry en zij vonden het allebei fijn om in de hangmat na te denken.

Scotts voorstel om over Colleen te schrijven, stelde haar voor een groot dilemma. Aan de ene kant wilde ze de uitdaging aangaan. Ze wilde haar liefde voor Colleen met haar lezers delen. Ze kon alleen geen verhaallijn bedenken die hen zou boeien. Haar eigen verhaal – een verliefd stel dat besluit kinderen te krijgen, de vrouw wordt zwanger, de man overlijdt; de baby, die te vroeg wordt geboren, overlijdt ook – was geen interessant verhaal. Het was emotioneel, maar het had geen plot.

Ze moest het idee opgeven en aan een detective beginnen. Hoe ze detectives moest schrijven, wist ze wel.

Kon ze haar verhaal voor een detective gebruiken? Bij die gedachte begon ze het boek dat ze in haar hand hield een eindje in de lucht te gooien, op te vangen en weer op te gooien.

In de misdaadboeken waar zij van hield, kwam een detective voor. Misschien was de echtgenoot detective? Dat idee verwierp ze. De man zou halverwege het boek overlijden. Dan kon ze moeilijk een verhaal om hem heen schrijven.

Misschien was de doodsoorzaak niet natuurlijk. Misschien probeerde de man een zaak op te lossen – dan waren de vrouw en de baby een interessante, complicerende factor in een misdaadverhaal met een eenvoudige plot.

Nee. De detective ziet de vrouw als verdachte. Hij zet haar onder druk om hem informatie te geven en ze krijgt voortijdig weeën. Als de baby sterft, voelt de detective zich persoonlijk verantwoordelijk. Jennifer greep mis en het boek viel op de grond.

Hij kon niet direct verantwoordelijk zijn. Misschien is hij een politieagent en wil zijn collega haar streng verhoren. Ze is de hoofdverdachte en hij weerhoudt zijn collega er zo lang mogelijk van om haar rechtstreeks te ondervragen, maar ze bereiken een punt waarop hij haar moet arresteren en dan bevalt ze te vroeg. De detective voelt direct veel liefde voor het te vroeg geboren meisje.

Om de emoties van de lezers in balans te brengen, blijkt dat de vrouw zonder het te weten een rol heeft gespeeld in de moord op haar man. Als de baby sterft, bekent ze wat er in werkelijkheid is gebeurd. Het boek eindigt met een tafereel van de detective bij het grafje van de baby.

Jennifer liet zich uit de hangmat glijden en liep naar haar kantoor.

Jennifer nam niet op. Scott hield de telefoon tegen zijn oor en luisterde hoe hij overging. Het was over tienen. Waar zat ze? Het was veel te vroeg voor haar om al te slapen. Hij had haar elke avond om tien uur gebeld en ze nam altijd op zodra de telefoon overging. Hij wilde net ophangen, toen de telefoon opeens werd opgenomen. 'Hallo?'

'Jen, hallo.' Hij kon niet voorkomen dat zijn stem opgelucht klonk.

'Scott.' Hij hoorde dat ze glimlachte. 'Hoe is het? Hoe was het vandaag in Denver?' Ze was duidelijk nog niet van plan om naar bed te gaan. Hij had haar nog nooit zo levendig gehoord. Ze klonk alsof ze het heel druk had gehad.

'Het is hier prima. We hebben de onderhandelingen over een contract met een van onze belangrijkste klanten bijna rond. En jij?'

Ze lachte. 'Ik heb zo'n beetje de hele plot voor mijn volgende boek rond.'

'Meen je dat? Wat fantastisch! Waar gaat het over?'

'Het wordt weer een misdaadverhaal. Ik denk zelfs dat het weer een serie wordt. De hoofdpersoon is politierechercheur. Hij doet onderzoek naar een moordzaak. Hij heeft een collega die een goede tweede personage is – sarcastisch en cynisch, sterk in oneliners. Ik wil elk boek laten draaien om een zaak die ze oplossen.' Jennifer ging achterover in de leunstoel zitten. Ze zat in haar kantoor en had op een schrijfblok de chronologie van de plot zitten uitwerken toen Scott belde. Ze sprak met opzet niet over de details van de eerste zaak die ze de rechercheurs zou laten oplossen. 'Kun jij me helpen met een naam? Ik heb er nog geen een kunnen bedenken die me bevalt.'

'Wat weet je over hem?'

'Hij is negenendertig. Bijna een meter tachtig. Gescheiden. Speelt basketbal. Goed karakter. Stevige normen en waarden. Eerlijk. Stoer, maar kan ook meelevend zijn. Een beetje zijn vertrouwen in mensen kwijt door wat hij ze elkaar heeft zien aandoen.'

Scott dacht even na. 'Granite Parks.'

Jennifer was verbluft. Dat was perfect. 'Hoe heb je dat gedaan? Ik zit er al dagen over te piekeren! Dat is een perfecte naam.'

Scott lachte. 'Het geluk van de beginneling. Kan ik u verder nog van dienst zijn?'

Ze glimlachte. 'Met je gezelschap. Ik mis je,' antwoordde ze en ze meende het. 'Wanneer vlieg je terug?'

Hij was blij met haar antwoord. Dat hoorde ze aan zijn stem. 'Zaterdag, halverwege de ochtend. Zal ik je om zeven uur komen halen om te gaan eten?'

'Ik zie ernaar uit.'

Het was slecht weer toen Scott Jennifer zaterdag kwam halen. Er stond een hevige storm die gepaard ging met zware buien en onweer. Hij reed haar oprit op en haastte zich naar de beschutting van het afdak boven haar voordeur.

'Hallo, Jennifer.' Het bliksemde toen ze opendeed en hij zag haar in elkaar krimpen. Hij stapte naar binnen en deed snel de deur dicht. Ze droeg een zachte, duifgrijze jurk met een rode sjerp om haar middel en haar haar was met een bijpassende rode strik naar achteren gebonden. Ze zag er fantastisch uit. En ook een beetje angstig. Hij deed zijn natte jasje uit en trok haar tegen zich aan. 'Gaat het?'

Ze knikte met haar hoofd tegen zijn schouder. De kamer werd verlicht door de volgende bliksemschicht en ze verstarde. 'Ik heb een hekel aan onweer.' Haar parfum rook naar seringen.

'Het trekt zo over,' zei hij vriendelijk. 'Ik denk dat het over twintig minuten alweer droog is.' Hij wreef zachtjes over haar rug. 'Ik heb je echt gemist,' zei hij op luchtige toon.

Ze omhelsde hem. 'Ik jou ook.' Ze deed een stap achteruit en raapte zijn jasje op. 'Kunnen we wachten tot dit voorbij is voordat we vertrekken?'

'Natuurlijk.'

Jennifer hing het colbertje over een van de keukenstoelen en ze gingen naar de woonkamer. Scott koos ervoor in de leunstoel te gaan zitten in plaats van naast haar op de bank. Hij wilde niets liever dan haar kussen, maar hij zou het niet doen. Tenminste niet voor het einde van deze avond. Hij glimlachte bij de gedachte en dwong zichzelf aan iets anders te denken. 'Hoe gaat het met het boek?'

Haar gezicht lichtte op. 'Ik hou van deze fase van schrijven. Ik hoef me niet te bekommeren om details of woordkeus of de lengte van de verschillende delen. Ik heb alleen maar zitten schrijven en ik ben fantastisch opgeschoten. Ik ben gek op Granite. Hij is de volmaakte hoofdpersoon. Ik heb net zo'n duidelijk beeld van hem als van Thomas Bradford.'

'Daar ben ik blij om. Ik was benieuwd hoe je de verandering zou doorstaan. Je schrijft al jaren over Thomas Bradford.'

'Met hem voelde ik me op mijn gemak en ik denk dat dat het probleem begon te worden. Goede verhalen ontstaan door risico's te nemen. Ik heb het gevoel dat dit verhaal levendiger is, dramatischer.'

'Heb je enig idee hoeveel tijd het je zal kosten om het te schrijven?'

'Minstens een half jaar. Aanmerkelijk langer dan mijn andere boeken. Hoe is het in Denver afgelopen?'

Scott vertelde haar over de mensen die hij had ontmoet, de restaurants waar hij had gegeten en over de vlucht terug naar huis. De storm begon weg te trekken naar het westen. Het onweerde niet meer en het miezerde alleen nog toen ze ten slotte op weg gingen naar het restaurant. Scott had een klein, Chinees restaurant uitgekozen dat maar weinig mensen in de stad kenden. Ze werden naar hun tafeltje achter in de zaak gebracht en Scott schoof haar stoel voor haar naar achteren. Het menu was in het Chinees.

'Deze zaak is van een vriend van me. Als je het goed vindt, bestel ik voor ons allebei. Is er iets wat je beslist niet lekker vindt?' vroeg Scott.

'Nee.'

De ober sprak met een accent. Jennifer glimlachte. Het was duidelijk dat Scott hem goed kende. De twee mannen overlegden een tijdje en vergeleken verschillende schotels. De man liep weg met een glimlach en beloofde warme thee te brengen.

Jennifer ontspande zich. Ze ging van deze avond genieten.

De gangen kwamen en bleven komen. Eerst kregen ze een rijk versierde theepot en kleine soepkommetjes. De ober zette een grotere schaal tussen hen in. 'De soep is zoetzuur en er zitten garnalen in,' zei Scott. 'In de grote schaal zit de specialiteit van het huis. Wantans gekookt in heel pittige kippenbouillon. Ik waarschuw je, ze zijn heel heet.'

Jennifer schepte voorzichtig een van de wantans uit de schaal. 'Ze zijn heerlijk,' zei ze nadat ze ervan had geproefd.

'Ik vind ze ook lekker,' stemde Scott met haar in.

De soep werd gevolgd door schotels met gebakken rijst, een grote schaal roergebakken groenten en daarna door een schotel van garnalen en cashewnoten, die Jennifer vaak naar haar glas met water deed grijpen.

'Het spijt me. Ik had iets minder pittigs moeten bestellen.'

'Ben je mal? Het is heerlijk. Jerry hield niet van pittig, maar ik ben er juist dol op.'

Scott glimlachte en gaf haar een van de verse broodjes om het effect een beetje te verzachten.

Ze zou een fantastische vrouw zijn, dacht Scott niet voor het eerst. Ze hadden zoveel gemeen. Muziek, vissen, eten. Ze kwamen allebei uit een hecht gezin. Scott vond het heerlijk om haar te horen lachen. Ze was vanavond ontspannen en hij zag Jennifer zoals hij haar op de foto's had gezien uit de tijd voordat Jerry en Colleen stierven. Levendig, gelukkig. Hij kon alleen maar hopen dat ze zelf eveneens die conclusie zou trekken.

Ze verlieten het restaurant bijna twee uur later. Scott hield zijn jasje boven haar hoofd terwijl ze naar de auto renden. Het regende bijna niet, maar het was een excuus om dicht bij haar te zijn. 'Ik wil je niet naar huis brengen,' bekende hij toen hij de motor startte.

Jennifer grijnsde. 'Laten we dan nog maar ergens gaan koffiedrinken,' stelde ze voor.

'Goed idee.'

Hij nam haar mee naar een vijfsterrenhotel dat gourmetkoffie serveerde. Op haar voorstel dronken ze koffie in het atrium waar een vrouw met een prachtige stem bekende jazznummers zong en zichzelf op de piano begeleidde. Ze gingen in twee fauteuils zitten en deelden de chocolatechipkoekjes die Scott had gekocht.

Ze begon verliefd op hem te worden. Jennifer zat te lachen toen het tot haar doordrong; Scott vertelde haar een grappig verhaal dat hij in Denver had gehoord en ze was in de lach geschoten. Op dat moment wist ze dat ze verliefd op hem begon te worden. Het was een besef dat haar ernstig stemde.

'Is er iets mis?'

Ze schudde haar hoofd en verwerkte de schok die ze had gekregen. Toen glimlachte ze stralend. 'Nee, helemaal niets.'

Het was bijna twaalf uur toen ze ten slotte haar oprit opreden. Scott liep om de auto heen om het portier voor

haar open te doen. Bij de voordeur bleef hij staan. 'Jennifer.'
Ze draaide zich om en keek naar hem op. Hij glimlachte.
'Mag ik je een kus geven?'

Het was een zacht uitgesproken verzoek en haar hart
sloeg een slag over. Jennifer wilde glimlachen, blozen, haar
armen om hem heen slaan, maar ze knikte alleen maar. Scott
legde heel voorzichtig zijn handen om haar gezicht en boog
zijn hoofd. Zijn kus was zo teder dat Jennifer bijna moest
huilen. Ze glimlachte toen hij een stap naar achteren deed.
Scott keek gelukkig. 'Je kunt maar beter naar binnen gaan,'
zei hij schor.

'Hallo, Jerry.' Jennifer ging naast de steen op de grond zitten.
Haar spijkerbroek en haar trui beschermden haar goed
tegen de frisse, zonnige middag. Ze was ruim drie maanden
niet bij het graf geweest. Ze glimlachte triest terwijl ze de
bladeren van de gladde, stenen dekplaat veegde. 'Ik heb
nieuws waarvan ik weet dat je er blij mee zult zijn.'

Ze sloeg haar armen om haar knieën. Ze was verdrietig
wakker geworden. 'Scott is een goede man. Hij maakt me
aan het lachen. Ik mis hem als hij er niet is. En het maakt
me ongelooflijk verdrietig, Jerry.' Ze plukte aan het dorre
gras. 'We hadden ons hele leven samen moeten zijn, jij en ik.
Ik wil niet opnieuw beginnen. Hoe kunnen liefde en droefheid zo in elkaar overlopen?'

Ze keek naar de tweede grafsteen, de reden dat ze hier
zelden kwam. 'Heb je plezier met papa, Colleen?' vroeg ze
glimlachend en huilend tegelijkertijd.

10

Jennifer keek naar de groep van tien jongeren die twee aan twee naar de pooltafels liepen. In gedachten voegde ze namen en gezichten bij elkaar. Scott had haar aangemoedigd mee te gaan naar de pool- en pizza-avond, die hij samen met andere jeugdgroepleiders had georganiseerd. De tieners varieerden in leeftijd van twaalf tot vijftien jaar en vormden een leuke, hechte groep. 'Die jongen met dat blauwe shirt, die in zijn eentje aan de verste tafel speelt – hoe heet hij?' vroeg Jennifer aan Scotts vriendin Trish terwijl ze het zaaltje rondkeek vanaf haar stoel aan een van de lange tafels waar de restanten van de pizza's nog op stonden.

'Kevin Philips. Hij is vijftien.'

'Hij heeft verdriet,' merkte Jennifer op. Ze was in de loop van de avond tot die conclusie gekomen. Kevin maakte een boze, agressieve indruk en zowel Brad als Scott had meer dan eens met hem gepraat. Jennifer keek onder de oppervlakte, want ze wist dat er een reden voor zijn onredelijke gedrag was.

Trish knikte. 'Hij is twee jaar geleden door Jim en Rita Philips geadopteerd. Hij had sinds zijn zevende in pleeggezinnen gezeten en nergens langer dan een jaar. Daarvoor had hij moeilijke jaren omdat hij thuis werd mishandeld.'

'En nu hij in een veilige, liefdevolle omgeving is, staat hij het zichzelf voor het eerst toe zijn pijn te voelen en is hij kwaad,' concludeerde Jennifer. 'En ik stel me zo voor dat hij het Jim en Rita bepaald niet gemakkelijk maakt.'

'Precies,' antwoordde Trish.

'Ze hebben vast het gevoel dat ze een stekelvarken proberen te omhelzen.'

Trish glimlachte. 'Triest, hè?'

'Ja,' beaamde Jennifer en nam een besluit. *God, ik heb het vertrouwen om het te proberen. Is er een manier waarop ik hem kan bereiken?* Ze pakte haar glas. 'Vind je het erg om hier alleen te blijven zitten? Ik denk dat ik eens ga proberen of ik de stekels kan omzeilen.'

'Versla hem met poolen. Hij veracht amateurs, maar goede spelers respecteert hij.'

Jennifer trok een verbaasd gezicht bij die opmerking.

'Jij bent degene die hier met zijn eigen keu en keutas binnenkwam,' reageerde Trish. 'Heb je al tegen Scott gespeeld?'

'Nee,' antwoordde Jennifer met een glimlach. Ze had Scott wel zien spelen en hij was goed, maar niet agressief genoeg om zijn tegenstander opzettelijk stoten af te nemen. Zij deed dat zonder erbij na te denken. Ze had vanavond nog niet gespeeld, maar ze had het gevoel dat Scott wel naar haar toe zou komen om te zien wat ze kon.

'Wees aardig voor hem,' zei Trish glimlachend.

'Voor wie? Voor Scott of voor Kevin?'

'Voor Kevin. Scott kan wel voor zichzelf zorgen,' zei Trish lachend.

Zoals Jennifer al had verwacht, werd het een agressief potje. Kevin had er onwillig in toegestemd tegen haar te spelen. Haar eerste stoot, waarmee ze de zeven had gepot en de speelbal zo had geplaatst dat ze bij de volgende stoot beslist weer zou potten, leverde haar een verbaasde blik van hem op, maar hij zei niets en richtte alleen al zijn aandacht op het spel. Dat stoorde Jennifer niet. Ze was niet naar hem toegegaan om te praten. Respect was een goed uitgangspunt voor contact en de pooltafel leek haar een uitstekende plek om een begin met dat contact te maken. Ze versloeg hem bij het eerste potje en sloeg geen acht op het feit dat de anderen om beurten met elkaar speelden.

'Twintig dollar op het volgende potje?' vroeg ze zacht en gooide hem de driehoek toe.

'Tien op vier ballen, tien op het hele potje,' antwoordde Kevin. 'U speelt al een paar jaar langer dan ik.'

Jennifer glimlachte. 'Afgesproken.' Hij gaf toe dat winnen moeilijk zou zijn, maar dat het hem, als hij de speelbal snel kreeg, moest lukken vier ballen achter elkaar te potten. Ze kon zijn manier van redeneren wel waarderen.

Het spel had zijn volledige aandacht en Jennifer bewonderde de manier waarop hij ballen die dicht tegen de band lagen, kon aantikken. Wat hij had gehoopt, lukte hem – na een stoot van haar lag de tafel voor hem open en ze zag hem glimlachen toen hij zijn vierde bal in de pocket stootte. Ze zag dat het gevoel dat hij een prestatie had geleverd zijn boosheid wat deed afnemen en wist dat zijn vreugde voornamelijk voortkwam uit het feit dat zijn tegenstander het hem niet gemakkelijk had gemaakt. Een moeilijke vijfde stoot miste hij. Jennifer haalde een tientje uit haar zak en gaf het hem terwijl ze om de tafel heenliep om te zien wat haar volgende stoot zou worden, als er tenminste nog iets te stoten viel.

Scott, die met gefronste wenkbrauwen op hen toeliep, haalde haar uit haar concentratie, maar dat duurde maar even. Ze concentreerde zich, zag onder welke hoek en hoe hard ze de ballen moest raken en begon doelgericht ballen te potten. Ze maakte zich er geen zorgen over dat ze Kevin de loef afstak. Hoe beter ze speelde, hoe meer die tien dollar voor hem betekende.

'Jen, kan ik je even spreken?' vroeg Scott.

Jennifer potte de achtbal voordat ze opkeek. Oei. Scott keek niet vrolijk.

'Kevin, wil jij een schaaltje nachochips en cola voor ons kopen? Ik kom zo terug,' zei ze tegen de tiener, die zowaar naar haar glimlachte. Ze liep met Scott naar de zijdeur.

'Hij heeft al een gokprobleem, Jen. Het laatste wat we willen is dat de jeugdgroep van de kerk dat stimuleert.'

'Hij heeft dat geld verdiend met iets wat hij heeft gepresteerd. Gun hem dat gevoel.'

'Het is niet goed. Doe het alsjeblieft niet meer.'

Jennifer zuchtte. 'Scott, hij meet zich met iedereen om zich heen om uit te maken wie en wat hij moet respecteren. Dat geld is een trofee voor hem, geen verdienste uit een gok om de kick. Hij is tegen iemand aangelopen die beter pool speelt dan hij en dat weet hij. Hij heeft die tien dollar verdiend door zich in te zetten. Het was belangrijk voor hem. Hij loopt er niet mee te koop, maar het was belangrijk voor hem.'

Scott gaf toe dat ze gelijk had. 'Ik ben blij dat je contact met hem weet te maken. Dat moet ik je nageven. Maar wees alsjeblieft voorzichtig.'

'Maak je niet druk. Een boze vijftienjarige is nog best in de hand te houden. Als je hem maar niet laat merken dat je dat doet.'

Jennifer liep terug naar Kevin en de enorme schaal nacho's die hij had gekocht, en glimlachte om de belangstelling die hij van de andere jongeren kreeg. Ze wist dat ze hun spel hadden opgemerkt en het erover hadden gehad en de chips zouden in ieder geval de belangstelling van de jongens wekken. Ze ging tegenover Kevin aan een tafeltje zitten en pakte haar cola.

'Wie heeft jou leren poolen?' vroeg ze de jongen.

Scott schoof een stoel naar achteren aan het einde van de grote tafel waaraan Trish en Brad zaten, zodat hij de hele groep tieners kon zien en een oogje kon houden op Jennifer en Kevin die samen aan een kleine tafel verderop zaten.

'Ze heeft hem ingemaakt. Heb je die eerste stoot van haar gezien?' vroeg Brad overduidelijk vol bewondering.

Scott glimlachte. 'Toen ze me vertelde dat ze kon poolen, vergat ze erbij te zeggen dat ze serieus speelt.' Hij had zijn ogen niet kunnen geloven bij sommige stoten die ze had gemaakt. Hij zou ze niet eens hebben geprobeerd. Hij zou vragen of ze later nog een keer met hem wilde spelen, gewoon omdat hij er plezier in had om naar haar te kijken als ze speelde.

'Ik vind haar leuk, Scott,' zei Trish die zag hoe ze met Kevin zat te praten.

'Ik ook,' antwoordde Scott. Hij was trots op haar, trots op de manier waarop ze zich onder zijn vrienden en de groep jongeren mengde. Hij was het dan misschien niet eens met wat ze deed, maar hij had respect voor het feit dat ze op de moeilijkste jongen van de groep was afgestapt. Hij hoopte dat ze succes zou hebben. Het was belangrijk dat iemand Kevin bereikte en hem hielp te genezen.

'U bent verbonden met het huis van Jennifer. Kan ik u helpen?'

Interessant. Wie was dit? Scott merkte dat hij glimlachte bij de stem van het jonge meisje. 'Hallo, met Scott Williams. Met wie spreek ik?'

162

'Tiffany.'

Zesde klas. Twaalf jaar. Vond Steve Sanders de leukste jongen van de wereld. Probeerde dit jaar in het hardloopteam te komen. 'Hallo, Tiffany. Is tante Jennifer in de buurt?'

'Ze is buiten met papa de tuin aan het doen. Ik kan haar wel voor u halen,' bood het meisje aan.

'Laat maar. Misschien kun jij mijn vraag wel beantwoorden. Ze zei dat ze op zoek was naar een van de figuurtjes van een porseleinen treintje met dierenfiguurtjes. Mijn zus heeft er een paar gevonden, maar ik kan me niet herinneren of ze nu de giraffe nog miste of de leeuw.'

'Als u even wacht, zal ik kijken. Ik zou het sowieso moeten doen, want tante Jennifer komt niet meer in die kamer.'

Uit de mond van dit jonge meisje hoorde hij dat Jen de babykamer nog had. Scott voelde zijn maag ineen krimpen.

Het meisje was al snel terug. 'Het is de giraffe.'

Scott masseerde de spanning uit zijn voorhoofd en deed zijn best om zijn stem luchtig te laten klinken. 'Bedankt.'

'Graag gedaan. Mag ik u iets vragen?'

Hij glimlachte. 'Natuurlijk.'

'Krijgt u echt een hond? Want dan wil ik graag bij u op bezoek komen. Tante Jen heeft het steeds over u, dus het leek me dat ik het wel mocht vragen.'

Scott grinnikte. 'Ik krijg Quigley over een paar dagen. Zeg maar tegen tante Jen dat jullie dan moeten komen. Ik vind het leuk als je op bezoek komt. Ik heb iemand nodig die op hem kan passen als ik op reis moet en dan kan tante Jen je hulp vast wel gebruiken.'

'Gaaf. Ik wist wel dat ik u leuk zou vinden.'

'Zeg maar tegen Jennifer dat ik haar vanavond nog wel bel,' zei Scott die blij was dat hij het meisje waar Jennifer met zoveel liefde over opschepte eindelijk had gesproken.

Hij hing de telefoon op en Heather boog zich voorover om zijn arm te pakken. 'Wat is er?' Ze sorteerde de baby-kleertjes die ze die ochtend op de rommelmarkt had gekocht. De porseleinen diertjes die ze ook had gevonden, stonden op de tafel naast de kleertjes.

'Spriet, ze heeft de babykamer nog. En volgens haar nichtje gaat ze er niet eens meer naar binnen. Tiffany zei het zo nuchter dat ik het idee kreeg dat de situatie al een tijd zo is.'

'Je moet met haar broer praten.'

'Ja, dat denk ik ook.' Scott wreef vermoeid over zijn ogen. Hij had een zware week gehad op zijn werk en op het persoonlijke vlak werd het er ook al niet beter op. Hij was nog steeds boos op God en hoewel zijn woede wel wat was gezakt, zat die er nog wel en moest hij erover nadenken.

'Wil je blijven eten? Ik ben heel blij dat je voor me op Greg en Amy wilt passen.'

Scott glimlachte. 'Je weet dat ik altijd net zoveel plezier heb als je kinderen. Greg begint goed te basketballen. Maar ik sla je aanbod voor het eten af. Ik moet nog wat post doornemen en een les voor de jeugdgroep voorbereiden. Komt Frank morgen terug?'

'Zijn vlucht landt rond zes uur, dus morgenochtend zijn alleen de kinderen en ik in de kerk.'

'Ik neem jullie morgen mee uit voor de lunch. Ik heb Amy pizza beloofd.'

'Dank je.'

Scott kuste zijn zus op haar wang. 'Ik vind het leuk om jullie mee te nemen. En ga nu zitten, Spriet. Je bent ernstig zwanger.'

Ze lachte en duwde hem naar de deur.

Quigley vond zijn nieuwe huis fascinerend. Jennifer, die in de deuropening van Scotts keuken zat, keek hoe de puppy om de meubels in de eetkamer heen liep, zich plotseling omdraaide en in volle vaart naar haar terugrende toen hij schrok van een vlok stof. Jennifer ving hem lachend op. 'Wat is er, jochie?' Hij was egaal zwart en pluizig en zijn kopje was te groot voor de rest van zijn lijf. Hij likte haar gezicht.

'Volgens mij mag hij je wel.' Scott boog zich over het aanrecht om naar hen beiden te kijken. Hij glimlachte.

'Ik zou hem wel mee naar huis willen nemen,' antwoordde Jennifer terwijl ze de pup knuffelde.

'Helaas. Je zult gewoon vaak op bezoek moeten komen als je hem wilt zien,' antwoordde Scott. Hij liep om het aanrecht heen en stak zijn hand uit om haar overeind te trekken. 'Het eten is klaar.'

'Moet ik hem neerzetten?' vroeg Jennifer met spijt in haar stem.

'Als je dat niet doet, eet hij je lunch op,' antwoordde Scott. 'Dat weet ik, omdat het me al een paar keer is overkomen.' Scott nam de pup van haar over en Quigley maakte het zich direct gemakkelijk door zijn kopje op Scotts schouder te leggen.

'Volgens mij sleep je zelf ook de hele dag met hem.'

'Hij gaat graag mee als ik ga vissen,' antwoordde Scott.

Jennifer lachte en volgde Scott naar het terras voor het eten. Het was een heerlijk warme herfstdag. Ze hadden niet eens een jas nodig. Scott had braadworstjes op de barbecue liggen. Hij zette Quigley op de grond en maakte een lange lijn aan zijn halsband vast, zodat hij op onderzoek uit kon gaan zonder te verdwalen.

'Kun je tegen uien?' vroeg Scott terwijl hij de garnering over zijn worstje schepte.

165

'Wat bedoel je?'

'Als we elkaar kussen, wil je dan dat mijn adem naar uien ruikt of niet?'

Ze legde haar arm om zijn middel terwijl ze naar de mosterd reikte. 'Je neemt nogal wat als vanzelfsprekend aan, zeg.'

Hij draaide zich om en kuste haar. Hij had zijn beide handen vol, maar bracht het er goed vanaf. 'Niet waar.'

'Neem maar niet te veel uien,' verzocht ze hem glimlachend.

Het verdriet was weg. Ze was verliefd op hem en ze vond het niet erg als hij dat vermoedde, maar voorlopig vond ze het gewoon fijn om bij hem te zijn. Ze hadden tijd nodig als vrienden.

Scott gaf haar een servetje en een glas frisdrank en Jennifer ging achterover in de tuinstoel zitten om naar Quigley te kijken en met Scott om zijn capriolen te lachen.

'Ik heb Tiffany beloofd dat ze met Quigley mag komen kennismaken, dus laat me maar weten welke dag je schikt. Dan kun je Peter en Rachel en de kinderen hier voor een barbecue uitnodigen.'

'Scott.'

Ze wilde protesteren dat het niet goed was om de familie te vroeg bij de relatie te betrekken, maar Scott verhinderde dat. Haar familie zou waarschijnlijk zijn sterkste bondgenoot worden. 'Als jij ze niet vraagt, doe ik het.' Jennifer zag een twinkeling in zijn ogen, maar ook de ernst van zijn bedoelingen.

'Ik zal het er met Rachel over hebben,' beloofde ze ten slotte.

Later die middag maakten ze een wandeling op het strand. Scott liet Quigley loslopen. De pup scharrelde rond, flirtte met de waterkant en bleef af en toe staan om als een bezetene in het zand te graven. 'Je zult hem in bad moeten stoppen als we thuiskomen,' merkte Jennifer op.

'Hij vindt de föhn wel leuk. Hij heeft een hekel aan het geluid, maar hij houdt graag zijn snuit in de warme lucht,' antwoordde Scott.

Scotts arm lag om Jennifers schouders en zij had haar arm om zijn middel. Hij hield van middagen als deze. Als hij zijn zin kreeg, zouden er nog veel volgen. Hij hield van haar. Daar twijfelde hij niet meer aan. Het was nog slechts een kwestie van tijd voordat hij het haar zou vertellen. Hij had het idee dat het Jennifer makkelijker zou vallen hem te antwoordden naarmate ze meer middagen als deze samen doorbrachten.

'Wil je zaterdag naar Gregs verjaardagsfeestje komen?' vroeg hij. 'Hij wordt negen. Dan kun je mijn ouders ontmoeten. De rest van mijn familie heb je al ontmoet.'

Hij zag dat ze op haar onderlip beet. 'Je ouders?'

'Ze zijn vast weg van je,' zei hij met een glimlach. 'Dan nemen we Quigley ook mee voor een puppyreünie. Wat vind je, Jen?'

Jennifer hield haar hoofd schuin om hem aan te kijken. Ze aarzelde. 'Goed. Waarom ook niet?'

Hij bukte zich en kuste haar langzaam, op zijn gemak. Hij voelde dat ze glimlachte en kreeg zin om haar mee terug te nemen naar de tuinstoel waar hij er meer werk van kon maken toen Quigley besloot dat ze een zanddouche nodig hadden. 'Quig, je moet leren een beter moment voor zoiets te kiezen,' protesteerde Scott. Jennifer lachte alleen maar.

Ze had niet moeten komen.

Jennifer keek hoe Scott in de achtertuin van Frank en Heather met zes kinderen en vier puppy's speelde en ze voelde dat haar vreugde van de afgelopen maand verdween.

Ze had niet moeten komen. Ze kon de werkelijkheid niet langer ontkennen. In de maand waarin ze van hem had gehouden, had ze één overduidelijk feit genegeerd. Scott zou kinderen willen. Heather bleef naast haar staan bij de eettafel en glimlachte net als Jennifer om de bokkensprongen die buiten werden gemaakt. 'De kinderen vermaken zich uitstekend met die pups.' Greg had vier van zijn vriendjes van school voor het feestje uitgenodigd.

'Ja. Ze genieten allemaal,' beaamde Jennifer. Ze deed haar best er niet aan te denken dat Heather hoogzwanger was. Ze kon erg goed met Scotts zus opschieten. Heather zat vol verhalen over Scott en Jennifer achtte het niet beneden haar waardigheid haar uit te horen. Heather was al over twee weken uitgerekend en hoewel Jennifer haar heel graag mocht, deed ze haar best niet aan de baby te denken. Jennifer voelde dat Heather naar haar keek en ze dwong zichzelf weer een zorgeloos gezicht te trekken. 'Kan ik je met de taart helpen?'

'Ik zoek de kaarsjes op en daarna hoeven we alleen de kinderen nog maar binnen te roepen,' antwoordde Heather. Ze keken nog een tijdje naar de capriolen in de achtertuin. Toen schoof Heather de tuindeuren open en liep ze naar buiten om iedereen binnen te roepen voor de taart.

Scotts moeder kwam bij Jennifer staan en glimlachte om het tafereeltje in de tuin. 'Ik weet niet wie zich beter vermaakt, Scott of de kinderen. Amy en Greg genieten.'

Jennifer draaide zich om en glimlachte naar Margaret. Scotts moeder had haar vanaf het moment dat ze was binnengekomen het gevoel gegeven dat ze heel welkom was en dat was een opluchting voor haar geweest. Margaret had gekeken naar de manier waarop Scott zijn arm om haar heen had, had de uitdrukking op zijn gezicht gezien en toen ze daarna naar Jennifer had gekeken, had ze al in haar voordeel beslist. 'Scott lijkt van kinderen te houden,' zei Jennifer na een tijdje en vreesde dat ze een bevestigend antwoord zou krijgen.

'Dat klopt. Hij wordt een goede vader.'

Jennifer knikte, maar gaf geen antwoord.

Scott kwam samen met de kinderen naar binnen. Hij droeg zijn nichtje Amy op zijn ene arm en Quigley op de andere en lachte om iets wat Amy hem had verteld. Jennifer glimlachte toen Scott bij haar kwam staan en nam Quigley van hem over. Amy leek wel in zijn armen te horen. Het meisje had haar armen om Scotts nek en was duidelijk met haar plekje in haar sas. Amy had de deur voor hen opengedaan. Scott had haar opgetild voor een kus en daarna had ze Jennifer een brede grijns geschonken en gevraagd of ze zijn vriendinnetje was, zoals Jeff haar vriendje was. Scott had zijn wenkbrauwen gefronst en gevraagd sinds wanneer hij haar vriendje niet meer was en Amy had alleen maar gegiecheld en uitgelegd dat Scott geen hamster had en Jeff wel.

Quigley koos dat moment om zijn neus tegen haar gezicht te duwen. Jennifer lachte en pakte hem anders vast, zodat hij als een voetbal in haar armen kon rusten. Ze was dol op de pup. Scott zette Amy op een van de stoelen en liep terug naar Jennifer. Hij ging achter haar staan, legde zijn armen om haar middel en legde zijn kin op haar schouder. 'Hoe vind je mijn ouders?' fluisterde hij in haar oor.

'Ik vind ze allebei aardig,' fluisterde ze terug. Zijn vader had zijn armen om haar heen geslagen en tegen haar gezegd dat ze ervoor moest zorgen dat Scott zich gedroeg en dat hij op verjaardagsfeestjes gevaarlijk was.

De eettafel was versierd met slingers en ballonnen en gedekt met feestelijke bekertjes en servetjes. Nadat ze voor Greg hadden gezongen, blies hij de kaarsjes uit, sneden ze de taart aan en gaven ze de stukken door. Omdat Jennifer Quigley nog steeds vasthield, deelde Scott zijn stuk met haar. Jennifer giechelde toen hij glazuur op zijn kin kreeg. 'Sta stil,' waarschuwde Scott en boog zijn hoofd. Ze wist dat hij het expres had gedaan om een excuus te hebben om haar te kussen.

'Waag het niet,' fluisterde ze vinnig. Ze vond het niet erg als zijn familie hen hand in hand zag. Maar kussen was een ander verhaal. Scott grijnsde en veegde het glazuur weg met zijn vinger.

'Scott, willen jij en Jennifer wat ijs bij die taart?' Er klonk een lach door in de stem van Scotts moeder. Jennifer bloosde.

'Nee, dank u, mama. We hebben aan taart alleen wel genoeg,' antwoordde Scott, die zich niet aan de vraag stoorde en zijn ogen op Jennifer gericht bleef houden. Hij had haar niet eerder met zo'n kleur gezien en vond het heel vertederend.

Het was laat. Over twaalven. Jennifer gooide nog een doorweekt papieren zakdoekje in de prullenbak van de badkamer. Ze zat hartverscheurend te huilen in bad en begon kwaad te worden.

Scott zou kinderen willen.

Wat moest ze doen?

Ze had geprobeerd Beth te bellen, maar haar vriendin was niet thuis en Rachel wilde ze niet bellen. Nog niet. Rachel zou er met Peter over praten en Peter zou zijn armen om haar heen willen slaan en alles in orde willen maken en als hij dat niet kon, zou hij nog verdrietiger worden en Jennifer wist dat haar broer al meer verdriet met zich meedroeg dan van een mens mocht worden verwacht. De herinnering aan zijn gezicht toen hij Colleens kistje droeg, was zo droevig dat ze hem nooit meer verdriet wilde bezorgen. Het hele probleem was juist dat er geen oplossing was.

Het was een vreselijk dilemma. Ze was verliefd op hem. Maar alleen al het idee dat ze kinderen zou krijgen, verlamde haar. Jennifer kon niet aan kinderen denken zonder aan het ziekenhuis te denken, aan de artsen, de angst. De begrafenis. Colleen had zo geworsteld om te blijven leven. Jennifer had niet de kracht het risico te nemen dat ze nog een kind zou verliezen.

Hoe kon ze overwegen met Scott te trouwen als ze hem de vervulling van zijn droom zou ontzeggen? Ze durfde het niet aan om nog een kind te krijgen. Zelfs niet voor Scott. Het idee maakte haar doodsbang. De tranen begonnen nog harder te stromen en Jennifer deed geen poging meer ze tegen te houden. Ze had het gevoel dat haar hart zou breken. Ze hield van hem. En ze zou hem moeten opgeven.

Jennifer kreeg haar vriendin Beth uiteindelijk de volgende ochtend vroeg te pakken. Als iemand haar kon helpen beslissen wat ze moest doen, was het Beth wel. Jennifer was tot de vreselijke conclusie gekomen dat het haar enige optie was om afscheid te nemen van Scott en hem nooit meer te zien. 'Beth, vind je het goed als ik het vliegtuig neem en een paar dagen bij jou en Les kom logeren?' vroeg Jennifer toen haar vriendin de telefoon had opgenomen. Twintig minuten later stapte ze in een taxi voor een rit naar het vliegveld.

Scott ijsbeerde door de hal van het vliegveld en wachtte tot Jennifers vlucht zou aankomen. Zeggen dat hij verbaasd was geweest toen ze uit Zuid-Dakota belde, was te zwak uitgedrukt. Toen ze hem had gebeld, had hij al twee dagen pogingen gedaan om haar te bereiken. Er was iets mis. Jennifer had aan de telefoon alleen gezegd dat ze bij een vriendin op bezoek was, maar Scott begreep heel goed dat er iets was voorgevallen waardoor ze op de vlucht was geslagen. Jennifer was geen type dat zomaar zonder reden vertrok.

Haar vlucht landde ten slotte twintig minuten te laat. Scott stond bij de gate toen de passagiers de aankomsthal inliepen. Hij zag haar onmiddellijk. Ze zag er uitgeput uit. Haar ogen waren donker en haar gezicht stond somber en vermoeid.

'Hallo, Jen.' Hij nam haar handbagage van haar over en vroeg zich af of ze het goed zou vinden als hij haar omhelsde. Ze nam zijn onzekerheid weg door een stap naar hem toe te doen en haar armen om hem heen te slaan. 'Fijn dat je bent gekomen, Scott.'

Goed. Wat er ook mis was, het zou in ieder geval op te lossen zijn. Scott hield haar stevig vast, dankbaar dat hij haar terug had. Ze had hem laten schrikken door zo onverwachts te vertrekken en hij ademde diep in en uit. 'Heb je al gegeten?'

'Ja. Het eten aan boord was niet slecht.'

'Laten we dan je bagage maar gaan halen en daarna breng ik je thuis.' Hij hield zijn arm om haar heen toen ze door de aankomsthal naar de bagageband liepen. 'Hoe was het met Beth?'

'Met Beth gaat het prima. Ik ben blij dat ik ben gegaan. De telefoon doet gewoon geen recht aan een hechte vriendschap.' Jennifer wees naar haar tas. Scott pakte hem van de band en nam haar mee naar de auto.

'Jen, waarom ben je daarheen gegaan?' vroeg Scott toen ze een paar minuten in stilte hadden gereden. Hij had zich afgevraagd of hij haar die vraag moest stellen of niet. Hij vreesde het antwoord, maar merkte dat zijn behoefte om erachter te komen sterker was dan zijn angst.

'Ik moest over Colleen praten,' antwoordde Jennifer ten slotte. Ze draaide haar hoofd naar hem toe en keek naar hem. 'Beth weet waar ik het over heb. Ze heeft een zoon verloren bij een auto-ongeluk waar een dronken chauffeur bij betrokken was.'

'Hoe ging het?'

'Goed.' Jennifer glimlachte een beetje. 'Ik heb veel gehuild. Wees maar blij dat je daar niet was.'

Scott pakte haar hand. 'Niet doen, Jen. Verberg je pijn niet. Ik vind het belangrijk dat je me bij je herstel betrekt.'

Ze pakte zijn hand. 'Het spijt me. Ik weet dat je me wilt helpen.' Jennifer beet op haar lip. 'Ik ben bang om weer kinderen te krijgen, Scott. Echt heel bang.'

Hij sloot even zijn ogen. Nee. Niet dit. Alles behalve dit. Hij had al gevreesd dat ze zo over kinderen dacht, maar had gehoopt dat haar gevoelens op den duur minder intens zouden worden. Scott zei dat ze dichterbij hem moest komen zitten, zodat hij zijn arm om haar heen kon slaan. 'Het moet beangstigend zijn geweest om dat te overwegen, na wat er met Colleen is gebeurd.' Zijn stem was schor en het spreken viel hem moeilijk. Hij merkte hoeveel verdriet Jennifer had en hij deelde het met haar. Ze moesten samen kinderen kunnen krijgen. Het moest.

'Ik moet steeds maar aan de verloskamer in het ziekenhuis denken en aan de intensivecareafdeling voor baby's en aan het moment dat ze stopte met ademen. Dat beeld staat in mijn geheugen gegrift.'

Scott voelde dat Jennifer diep ademhaalde. 'Ik ben die angst aan het overwinnen. Ik moet hem overwinnen. Daarom ben ik naar Beth gegaan.'

Scott hoorde de vastberadenheid in haar stem en was heel dankbaar dat ze aan haar herstel werkte. 'Wat kan ik doen om je te helpen?' vroeg hij schor. Hij was bereid om alles te doen wat in zijn vermogen lag.

Jennifer pakte Scotts hand steviger vast. Ze hield van hem. Ze kon het. Ze kon het aan om weer kinderen te krijgen. Beth had haar geholpen die keuze te maken. Als ze een leven met Scott wilde, zou ze met haar angsten geconfronteerd worden en ze zou die overwinnen. De belangrijkste conclusie was duidelijk. Ze hield te veel van Scott om hem te laten gaan. Een week bij een vriendin die wist dat ze het aankon, had haar geholpen die beslissing te nemen. 'Zorg maar gewoon dat je er bent, Scott. Ik ga mijn angst overwinnen,' antwoordde ze.

'Heb je een jasje nodig?' vroeg hij. Jennifer droeg een sweater, maar de wind die van het meer kwam, was fris vanavond.

'Nee, het gaat wel,' antwoordde Jennifer. Ze was een week thuis sinds ze bij Beth was geweest en haar moed om op z'n minst over kinderen na te denken, was nog niet verdwenen. Ze was meer over de mogelijkheid gaan nadenken en had zelfs voldoende moed verzameld om de kamer binnen te gaan die ze als Colleens kinderkamer had ingericht en had er een tijdje gezeten. Scott had haar uitgenodigd bij hem thuis te komen eten en vanavond een strandwandeling te maken. Ze vond het een goed teken dat hij ermee had ingestemd dat ze zelf naar zijn huis reed in plaats van haar te komen ophalen. De vrolijkheid van de afgelopen maand was verdwenen en ervoor in de plaats was iets ernstigers gekomen, iets intensers. Het plezier in de vriendschap was er nog wel, maar ze moesten zich nu bezighouden met belangrijkere kwesties en dat wisten ze allebei.

'Ben je opgeschoten met je boek vandaag?' vroeg Scott zacht toen ze hun wandeling langs het strand begonnen. Quigley rende voor hen uit.

'Ik heb zes bladzijden geschreven. Een redelijke dag, vind ik. Ik streef er normaal naar om er tien te schrijven. Hoe was het op jouw werk?'

Scott glimlachte. 'Het leek wel of alle problemen van het hele bedrijf vandaag op mijn bureau terechtkwamen,' antwoordde hij. 'Ik was blij dat ik me op vanavond kon verheugen.'

'Het eten was erg lekker.' Hij had een stevige runderstoofschotel klaargemaakt.

Hij sloeg zijn armen om haar heen. 'Jij bent bereid mijn experimenten te proeven. Dat is vast een teken van een goede vriendschap.'

'Als je iets klaarmaakt wat echt niet te eten is, zal ik je dat toch moeten vertellen, denk ik,' antwoordde Jennifer met een glimlach. Ze bukte zich, vond een platte steen en liet die stuiterend over het water scheren. 'Je vindt het vast heerlijk om het water zo dichtbij te hebben.'

'Klopt. Je kunt hier heel rustig wandelen.' Quigley koos dat moment om terug te komen rennen. Hij bleef kwispelend naast hen staan en begon al het zand uit zijn vacht te schudden. 'Quigley, gedraag je,' zei Scott streng en onderdrukte met moeite een grijns. De pup duwde alleen maar tegen zijn been. 'Als je een stok zoekt, zal ik hem voor je weggooien,' zei Scott tegen de hond en Quigley ging er weer over het strand vandoor.

Ze hadden niet meer over kinderen gesproken sinds de autorit van het vliegveld naar huis. Jennifer wilde het onderwerp niet aansnijden en Scott was van plan haar alle tijd te geven die ze nodig had.

Veertig minuten later liepen ze hand in hand terug naar huis.

Jennifer zocht Quigleys borstel en begon het zand uit zijn vacht te borstelen. Scott ging kijken of er berichten op het antwoordapparaat stonden.

'Jennifer.' Ze keek op en zag Scott tussen de terrasdeuren staan. 'Heather is in het ziekenhuis opgenomen. Ze heeft weeën. Volgens het bericht van mijn moeder zouden ze om zeven uur de keizersnede doen. Dat is precies nu.'

Jennifer voelde dat haar hart een slag oversloeg. Ze was niet klaar voor een test als deze. Nog niet. Ze liet Quigley van haar schoot afspringen, stond op en klopte haar spijkerbroek af. 'Laten we allebei maar naar het ziekenhuis rijden nu mijn auto hier toch staat,' zei ze terwijl ze zich vermande.

Scott kwam bij haar staan en tilde haar kin op, zodat hij haar kon aankijken. 'Weet je het zeker?' vroeg hij bezorgd.

Jennifer dwong zichzelf te glimlachen. 'Ik weet het zeker. Ik ga even mijn tas halen en dan kunnen we gaan.'

Scott aarzelde en knikte toen. 'Goed. Dan sluit ik het huis af.'

Jennifer volgde hem naar het ziekenhuis. Als het hetzelfde ziekenhuis was geweest als waar Colleen had gelegen, was Jennifer de parkeerplaats nooit opgereden. Maar nu vond ze een plekje naast Scott en parkeerde ze de auto. Ze voelde dat haar handen klam waren van het zweet.

Ze liepen over de parkeerplaats naar de hoofdingang van het ziekenhuis en volgden de borden naar de lift die hen naar de vierde etage zou brengen, waar de kraamafdeling was. Toen de liftdeuren openschoven en Scott naar binnen wilde stappen, begon Jennifer plotseling te huilen. 'Ik kan dit niet.' Ze schudde wild haar hoofd en voelde dat ze in paniek raakte. Ze had in het verleden te veel tijd op de intensive care van de kraamafdeling doorgebracht. Ze kon het niet opbrengen naar boven te gaan. Alleen al de ziekenhuisgeur zorgde ervoor dat haar maag zich omdraaide. Ze kon daarboven niet de geboorte van een baby gaan zitten afwachten. Als ze nu eens ongeluk bracht en de baby stierf?

Scott sloeg stevig zijn armen om haar heen en voorkwam dat ze er in paniek vandoor ging. 'Rustig maar, Jen. Het komt wel goed. We gaan niet naar boven,' zei hij vastbesloten. Ze beefde als een riet. 'Kom mee.' Hij liep met haar naar de deuren van het ziekenhuis, wuifde een bezorgde receptioniste weg en ging met haar naar buiten. Hij vond een beschut hoekje waar hij tegen een pilaar kon leunen en haar vast kon houden.

Ze begon te kalmeren. 'Het spijt me zo, Scott. Ik dacht dat ik het wel aankon.' Ze huilde nog steeds en hij vond een zakdoek om haar tranen weg te vegen.

'Het geeft niet, Jen. Ik zag dat je door paniek werd overvallen. De eerste paar minuten ging het prima. Ik weet zeker dat dat al een hele prestatie was,' zei hij.

'Dat was het ook. Maar toch. Het is maar een ziekenhuis.'

'Wees niet te hard voor jezelf. Daar schiet je niets mee op,' zei Scott zacht. Hij zag plotseling met eigen ogen waar hij tegen streed en hij begreep dat hij haar angsten schromelijk had onderschat. 'Kom, Jen. Laat me je naar huis brengen.'

'Nee. Je moet naar je familie. Ik woon hier nog geen anderhalve kilometer vandaan. Ik rijd zelf wel.'

'Geen denken aan.'

Ze glimlachte om zijn vastberaden stem. 'Jawel. Het lukt wel. Jouw familie heeft je daarboven nodig.'

Hij sloot een compromis. 'Ik volg je naar huis en zorg ervoor dat je daar veilig aankomt en daarna ga ik terug,' antwoordde hij.

Ze knikte instemmend, want ze wist dat ze hem niet zou kunnen overtuigen en liep met hem naar haar auto. Hij reed vlak achter haar terwijl ze naar huis reed. Scott stapte uit en liep met haar naar de voordeur.

'Bel je me als je nieuws hebt?' vroeg Jennifer hem. Ze vond het vreselijk dat ze niet bij hem in het ziekenhuis zou zijn.

'Doe ik.' Scott kuste haar teder. 'Denk vanavond alsjeblieft niet aan kinderen. Wees niet hard voor jezelf. Beloof je dat?'

Er stonden tranen in haar ogen toen ze knikte. 'Ik beloof het,' fluisterde ze.

De telefoon ging om negen uur. Jennifer was naar bed gegaan, maar was nog wel wakker. Ze lag opgerold onder de dekens na te denken. Haar ogen waren droog. Ze had met wilskracht haar tranen onderdrukt. Ze wist niet wat ze aanmoest met wat er was voorgevallen. Het intense verdriet was overweldigend. Voordat ze had geprobeerd haar angst te overwinnen, had ze er geen idee van gehad dat hij zo diep geworteld was.

'Heather heeft een dochtertje gekregen. Mary Elizabeth. Ze weegt zeven pond. Ze maken het allebei goed.'

Jennifer kneep haar ogen dicht en slaakte een diepe zucht

van verlichting. 'Dank je, Scott. Beter nieuws had je me niet kunnen vertellen.'

'Hoe gaat het, Jen?' Ze hoorde de onderdrukte pijn in zijn stem, het feit dat hij het net zo moeilijk had met wat er vandaag was gebeurd als zij.

'Het gaat wel, Scott.' Ze deed haar best haar stem geruststellend te laten klinken.

'Mag ik langskomen?' Ze hoorde de smeekbede en deed haar ogen dicht. Ze had die smeekbede eerder gehoord, op het strand die eerste ochtend, en toen had ze hem afgeweerd. Nu was ze gedwongen dat weer te doen en het brak haar hart. Ze kon niet praten. Niet voordat ze de pijn in haar binnenste had verwerkt en er met minder emoties over kon praten.

'Ik lig al in bed. Kunnen we elkaar morgen zien?'

Er klonk zoveel pijn door in zijn stilte. Waarom moest het zo gaan? Waarom moest ze hem zoveel verdriet doen? Het zou alleen nog maar erger worden en dat vond ze vreselijk. 'Ik bel je wel. We kunnen ergens gaan eten en naar een film gaan,' stelde Scott voor.

'Dat lijkt me leuk, Scott.'

Ze hing de telefoon op voordat ze afscheid hadden genomen. Ze wreef in haar ogen. Ze konden er geen van beiden omheen. De onzekerheid of hun relatie wel zou standhouden. Gebed. Ze moest bidden.

God, ik ben in paniek geraakt. Diep vanbinnen ben ik in paniek geraakt. Ik kon er niets aan doen. Ik wilde weg. En als ik Scott had moeten achterlaten om weg te komen, had ik het gedaan. Wat moet ik nu? Ik kom niet verder. Ik voel de dood vanavond, dezelfde ijzige kilte van de dood als toen ik naast Colleens couveuse zat en besefte dat ze geen adem meer haalde. Tegen de dood kan ik niet vechten. Zoveel moed heb ik niet. Als hij in mijn binnenste blijft, koud en onverbiddelijk, heb ik geen andere keus dan afscheid van Scott te nemen.

Scott liep laat die avond met Quigley over het strand. Ongemerkt liepen er wat tranen over zijn gezicht. Jennifer had zoveel verdriet. En hij wilde zo graag dat ze kinderen konden krijgen.

11

Het was laat toen Scott Jennifer kwam halen voor het eten. Hij had haar vanaf zijn werk moeten bellen om de tijd te verzetten toen een late crisis een extra vergadering noodzakelijk maakte. Andrew was bij de vergadering aanwezig geweest en Scott wist dat zijn aanwezigheid hem had gered. Hij had op het punt gestaan tegen een controleur uit te vallen en Andrew had ingegrepen en voorkomen dat hij uit zijn slof schoot. De man had ongelijk gehad, maar niets onvriendelijks gezegd en hij zou een slechte beurt hebben gemaakt als hij tegen hem tekeer was gegaan.

Hij had rust nodig. Hij moest het verdriet zien kwijt te raken.

God, geef dat mijn boosheid zich niet op Jennifer gaat richten. Mijn woede wordt veroorzaakt door de situatie, door de angst in mijn hart, maar zij zal denken dat het haar schuld is. Het frustreert me dat Jennifer nog zo'n lange weg te gaan heeft voordat ze is hersteld. Er is nog zoveel tijd voor nodig en ik ben zo bang dat we geen kinderen zullen krijgen. Als het nu eens niet goed komt? Als Jennifer nu eens niet over haar verdriet heen komt? Wat moeten we dan?

Scott parkeerde de auto en zette de motor uit. Hij liet met opzet zijn handen op het stuur liggen. *God, ze gaan niet met me mee naar binnen, die emoties. We hebben allebei rust nodig.*

Neem ze weg, God, en help me haar te geven wat we allebei nodig hebben: geloof dat U een uitweg zult schenken. Alstublieft.

Jennifer deed de voordeur open toen hij klopte en Scott was dankbaar toen hij de kalmte in haar bruine ogen zag. Het ging beter met haar dan hij had verwacht. Hij stapte naar binnen en sloeg zijn armen om haar heen. Ze omhelsde hem ook.

'Ik heb het eten maar vast klaargemaakt, omdat ik niet wist hoe laat je klaar zou zijn. Ik wil vanavond eigenlijk liever thuisblijven,' zei ze terwijl ze zijn jas aannam.

'Kun je koken dan?' plaagde hij en ze gaf hem een speelse tik op zijn arm. 'Dat wist ik toch niet? Niet iedereen kan koken.' Hij trok haar weer in zijn armen om zich te verontschuldigen. 'Wat heb je klaargemaakt?'

'Pizza's. En ja, ik heb de bodem ook zelf gemaakt. Ze zijn lekker.'

'Het ruikt hier heerlijk.' Hij meende het. Hij rook de gist in het deeg dat rees terwijl het in de oven stond en de smeltende kaas.

Ze boog zich in zijn armen achterover. 'Laten we het er vanavond niet over hebben, goed? Niet over kinderen, niet over mijn paniek, niet over Colleen. Over geen van die onderwerpen.'

Hij sloot zijn ogen toen ze haar verzoek deed en hij rustte met zijn voorhoofd tegen haar haar. De zucht kwam diep uit zijn binnenste. *Dank U, Heer.* Ze hadden meer behoefte aan tijd dan aan woorden. 'Afgesproken.' Hij glimlachte en bleef met zijn hoofd op dat van haar steunen. 'Maar alleen als ik de baas mag zijn over de afstandsbediening van de televisie.' Hij wist dat de opmerking hem een glimlach zou opleveren, maar op een zachte por van haar elleboog tussen zijn ribben had hij niet gerekend.

'Hé!'

'Jerry zou er tenminste om getost hebben.'

Hij tilde haar op.

'Met een munt, Scott. Niet met mij.' Ze lachte en het was lang geleden dat hij dat geluid had gehoord. Het klonk hem als muziek in de oren. Scott zette haar weer op de grond en kuste haar voorzichtig.

'Ga maar even naar die pizza's kijken en dan zoeken we of er iets grappigs is waarnaar we kunnen kijken.'

Ze zeiden de hele avond niets diepzinnigs. Ze zaten alleen maar op de grond voor de bank, aten heerlijke pizza's en lachten om oude afleveringen van *Coach* en *Murphy Brown*. Ze zagen hoe Doris Day en Cary Grant verliefd op elkaar werden en van tijd tot tijd boog Scott zich opzij en kuste hij Jennifer, gewoon om het plezier van het contact.

Scott reisde naar San Francisco voor een conferentie. Het vliegtuig hing ergens boven de Rocky Mountains en het uitzicht was adembenemend, maar hij genoot er niet echt van. Op zijn schoot lag een map die hij nog moest doorlezen; hij had zijn gedachten niet bij zijn werk, hoewel hij een presentatie moest geven.

De spanning die hij in haar ogen had gezien, brak zijn hart. Jennifer had zoveel verdriet. Kon hij maar in alle eerlijkheid zeggen dat hij geen kinderen wilde. Dan zou al dat verdriet verdwijnen. Ze voelde zich zo schuldig, alsof de angst die ze ervoer haar schuld was. Maar dat was niet zo. Aan haar verdriet merkte Scott hoe getraumatiseerd ze door Colleens dood was. De angst was een intuïtieve voorzorgsmaatregel tegen het verdriet en dat verdriet was de vijand.

Hij dacht aan drie dagen die met rasse schreden naderden: Thanksgiving, Colleens sterfdag – zijn gezicht vertrok toen hij aan die dag dacht – en Kerst. En hij wist dat ze voor Jennifer allemaal moeilijk zouden zijn. Hij kon haar geen verdriet blijven doen. Hij moest de pijn loslaten en haar de tijd geven die ze nodig had om te herstellen. Hij moest blijven geloven dat ze kon genezen.

Hij bleef vier dagen weg en toen hij thuiskwam, vond hij op zijn antwoordapparaat een bericht van Jennifer waarmee ze hem liet weten dat ze hun afspraak om de volgende avond uit eten te gaan, moest afzeggen. Haar redacteur wilde onverwachts dat ze en aantal wijzigingen in het laatste boek over Thomas Bradford ongedaan maakte. Hij luisterde naar de boodschap, wreef met zijn hand over zijn gezicht en wenste dat hij haar kon bellen en de opgewekte vriend kon zijn die ze zo dringend nodig had. De laatste tijd had hij het idee dat hij haar alleen nog maar verdrietiger maakte als hij haar belde; hij herinnerde haar aan haar verdriet en daar had hij het moeilijk mee.

Scott besloot met tegenzin om haar niet te bellen. Ze zouden trouwen. Hij moest haar in zijn armen kunnen nemen om haar niet meer los te laten, en als ze niet konden praten, zouden ze tenminste de stilte kunnen delen.

Het huis was leeg en hij voelde zich eenzaam. Omdat hij wist dat er na vier dagen van afwezigheid een enorme stapel werk in zijn kantoor zou liggen, besloot hij dat hij net zo goed een uur of twee kon gaan werken. Het werk zou zijn gedachten niet van de problemen afleiden, maar het zou hem in ieder geval dwingen door te gaan.

Ze kon het niet langer uitstellen om met Scott over kinderen te praten.

Jennifer zat met Thanksgiving naast hem aan tafel. Ze keek hoe hij met zijn familie omging en wist dat ze een gesprek met hem niet langer voor zich uit kon schuiven. Ze hield van hem en hij wilde een gezin en zij kende de realiteit. Hij dacht dat de tijd haar wonden zou helen. Ze vond het vreselijk hem de waarheid te moeten opbiechten. Ze hield haar sombere gedachten zo goed mogelijk voor hem verborgen. Scott was ontspannen en dat wilde ze hem vandaag niet ontnemen.

De mannen gingen na het eten basketballen in de tuin en Jennifer glimlachte terwijl ze naar hen keek. Heather kwam bij haar staan met Mary Elizabeth, die wakker was en haar flesje leeg dronk.

'Hoe gaat het met haar?' vroeg Jennifer, Heather benijdend.

'Heel goed. Ze heeft een opgewekt humeur. Ze maakt me 's nachts maar twee keer wakker,' antwoordde Heather glimlachend. Ze sloeg het dekentje terug, zodat Jennifer haar kleine handjes kon zien.

'Mag ik haar vasthouden?' vroeg Jennifer tot haar eigen verbazing.

'Natuurlijk mag dat,' antwoordde Heather. Ze schoof de fles wat opzij en gaf Jennifer de tweede katoenen luier die ze bij zich had. 'Ze moet een boertje laten.'

Heel voorzichtig nam Jennifer de baby van haar over. Het kindje zwaaide met haar armen en probeerde te glimlachen. Er was niets breekbaars of prematuurs aan haar helderblauwe oogjes of haar volle wangetjes. Ze woog twee keer zoveel als Colleen ooit had gewogen. Jennifer legde de baby tegen haar schouder en klopte haar zacht op haar rug.

Jennifer glimlachte toen Mary Elizabeth een vuist vol haar greep en eraan begon te trekken. 'Dat vind je wel mooi, hè, liefje?' Voorzichtig maakte ze de vingertjes van het kind los. Het was zo heerlijk om weer een baby vast te houden.

Jennifer knipperde een traan weg die omlaag dreigde te vallen. Ze zou niet gaan huilen. Beslist niet.

Ze probeerde zich voor te stellen hoe het zou zijn om weer zwanger te zijn, haar eigen baby te hebben en de vreugde die ze ervoer, sloeg bijna om in paniek. Mary Elizabeth leek plotseling op Colleen. Jennifer knipperde weer met haar ogen en dwong zichzelf diep adem te halen. 'Dankjewel, Heather.' Jennifer gaf Mary Elizabeth voorzichtig terug aan haar moeder, dankbaar voor de kans haar vast te houden en met een trieste glimlach, omdat ze wist dat wat ze net had ontdekt de zaken alleen maar moeilijker maakte.

'Jennifer, het spijt me voor je.'

Heather begreep de tranen die dreigden te vallen en Jennifer schonk haar een beverig glimlachje. 'Je hebt een prachtig kind, Heather,' zei ze terwijl ze haar best deed zichzelf in de hand te krijgen.

Het spel buiten liep ten einde. Jennifer verdrong haar verdriet.

Scott kwam glimlachend binnen, trok Jennifer naast zich op de bank om samen met hem een footballwedstrijd te kijken en hield de rest van de dag zijn arm stevig om haar heen. Het was een van de redenen waarom Jennifer van hem hield, om de troost die zijn aanwezigheid haar bracht.

Ze verlieten het huis van zijn ouders vroeg in de avond. Scott bracht Jennifer naar huis en bleef op haar verzoek koffiedrinken. Terwijl ze het huis binnenliepen, bukte hij zich om haar te kussen en zij boog met een wanhopig gevoel haar hoofd naar achteren en liet de kus langer en intenser worden. Ze hield zoveel van hem. Ze zou er alles voor over hebben om niet te hoeven zeggen wat ze moest zeggen.

Ze zou zijn hart breken en haar eigen hart bovendien en

ze vreesde het komende jaar zonder hem. Ze kon wel huilen en wilde God smeken de situatie te veranderen, maar ze had al gesmeekt en ze had geen tranen meer en dit was de realiteit waarmee ze zou moeten leven. Door Mary Elizabeth vast te houden was ze gedwongen geweest de onveranderlijke waarheid onder ogen te zien. Ze was bang om weer kinderen te krijgen. Zo bang dat het niet meer zou veranderen.

Hij wist dat er iets mis was. Zijn gezicht stond ernstig, zijn handen lagen losjes om haar middel. 'Wil jij koffiezetten? Ik moet even iets opzoeken,' vroeg ze. Hij aarzelde en knikte toen.

Jennifer zocht tussen de videobanden die ze in de loop der jaren had verzameld en beet op haar lip toen ze een stapeltje vond dat met een blauw lint bij elkaar was gebonden. *God, ik heb wat moed nodig,* zei ze terwijl ze het lint lostrok. Ze pakte de eerste band, stopte hem in de videorecorder en pakte de afstandsbediening.

Scott kwam binnen met de koffie en Jennifer knikte naar de bank. 'Oude film vanavond?' vroeg hij zacht. Jennifer ging met opgetrokken benen naast hem zitten

'Ik dacht dat je Jerry en Colleen wel graag zou willen ontmoeten,' antwoordde ze. Ze voelde Scotts plotselinge, verbaasde blik, maar keek hem niet aan. Ze zette de videorecorder aan.

Scott zei geen woord; hij legde zijn arm om haar heen.

Nerveus was niet het juiste woord om te beschrijven hoe Jennifer zich voelde. 'Het geluid van het eerste gedeelte is niet zo goed; dat is opgenomen tijdens zijn vrijgezellenfeest.'

'Dat is Jerry, daar op de bank,' wees Jennifer terwijl de camera een woonkamer vol mensen rondging. 'Die man links was zijn getuige. Dit is een week voor de bruiloft opgenomen. De eindexamens waren net de dag ervoor afgelopen. Het was vrijdagavond en de meeste van zijn studiematen bleven om feest met hem te vieren. Ze hadden hem enorm voor de gek gehouden. Hij dacht dat wij samen uit eten zouden gaan en kwam naar mijn flat om me op te halen. Daar trof hij vier van zijn vrienden aan die hem meenamen naar het feest.'

Scott, die keek naar de man die op het scherm met zijn vrienden lachte, voelde afgunst. Jerry was een begaafd spreker geweest. Nadat iedereen had geroepen dat hij een toespraak moest houden, vertelde hij vijf minuten lang voor de vuist weg waarom hij zijn vrijgezellenleven opgaf om te trouwen en het drong tot Scott door hoeveel hij van Jennifer had gehouden.

Jerry maakte gevatte opmerkingen na plagerijen van zijn vrienden en maakte ondertussen zijn cadeaus open, geschenken die op de traditionele vrijgezellenmanier in bruine, papieren zakken waren verpakt. Plakband was het eerste cadeau. 'Om ervoor te zorgen dat ik op de juiste momenten mijn mond houd.' Lijm en een prullenbak. 'Als ik het niet kan repareren, kan ik het altijd weggooien.' Maagtabletten. 'Geen commentaar. Op een dag ziet Jennifer deze film wel.' Een afvoerontstopper. Jerry had dubbel gelegen van de lach toen hij die zag. 'Prachtig, jongens. Echt prachtig.' Een schop. 'Om het vuil dat Jennifer onder het tapijt veegt mee naar buiten te scheppen.'

Het laatste cadeau was wel mooi ingepakt in blauw met goud pakpapier. Duidelijk onzeker maakte Jerry het open. Hij werd vuurrood. Een blauwe boxershort.

'Mijn cadeau,' bekende Jennifer en voelde dat ze bloosde.

Scott kneep haar in haar arm bij die bekentenis.

Het volgende deel van de video was van de trouwreceptie. Toen Scott naar Jennifer en haar kersverse echtgenoot Jerry keek terwijl ze taart uitdeelden en de cadeaus openmaakten, werd Scott steeds stiller. Hij werd zich er steeds meer van bewust hoeveel Jennifer was kwijtgeraakt.

Jennifer stopte een andere band in de videorecorder. 'Dit is in het ziekenhuis met Colleen.' Scott realiseerde zich plotseling dat Jennifer hem nog nooit een foto van Colleen had laten zien. Hij boog zich naar voren toen de band de couveusekamer van het ziekenhuis liet zien. 'Heeft Peter dit gefilmd?' vroeg hij zacht. Jennifer knikte.

Colleen was een knappe baby, klein, fragiel, maar daardoor juist des te mooier. Ze had zulke kleine handjes. Toen Scott zag hoe Jennifer haar dochter vasthield, kon hij wel huilen. Hij zag de band tussen hen. Geen wonder dat Jennifer hem deze video niet eerder had laten zien. Hij keek opzij en zag dat Jennifer geluidloos huilde. Hij sloeg zijn arm om haar schouder.

Ten slotte was de band afgelopen.

'Dat was Colleen.'

Hij boog zich naar haar toe en kuste haar zacht op haar natte wang. 'Bedankt dat je haar met me hebt gedeeld, Jen,' fluisterde hij zacht.

Ze knikte en haalde diep adem. 'We moeten praten.' Ze keek naar hem en wendde toen haar ogen weer af. 'Ik wil geen kinderen meer. Ik kan het niet.'

Ze voelde hem verstijven. Ze ging verder voor ze de moed verloor. 'Ik heb mijn best gedaan. Het is me vandaag zelfs gelukt om Mary Elizabeth vast te houden. Maar ik kan het niet. Ik kan niet opnieuw kinderen krijgen. Ik wil niet het risico lopen dat ik weer een kind verlies.'

'Jen, de kans dat dat weer gebeurt...'

Ze schudde haar hoofd. 'Met die angst kan ik niet leven.'

Hij trok haar naar zich toe en liet zijn kin op haar kruin rusten. 'Ik weet dat je hier een tijd over hebt nagedacht. Is dit besluit definitief? Zou het helpen als je meer tijd had?'

'Het is definitief, Scott.' Ze huilde. 'Het spijt me.'

Hij veegde haar tranen weg. Hij zweeg een poosje. 'Ik wil echt kinderen met jou, Jen.'

'Ik wil het risico niet nemen, Scott. Ik kan het gewoon niet,' fluisterde ze diepbedroefd.

Het moeilijke was dat hij het begreep.

12

Ze zou de telefoon niet opnemen.

Nadat hij vier keer was overgegaan, ging haar antwoord-apparaat aan en Scott liet weer een boodschap voor Jennifer achter om te vragen of ze hem wilde bellen. Ze wilde niet met hem praten. Ze probeerde afstand tussen hen te schep-pen. Hij realiseerde zich dat en vond het vreselijk.

Wat moest hij doen?

Sinds die avond drie dagen geleden, toen ze had gezegd dat ze geen kinderen meer wilde krijgen, waren er allerlei emoties door hem heen gegaan. Hij wilde kinderen. Hij wilde een gezin. Dat wist ze en op haar eigen manier pro-beerde ze afscheid te nemen.

Scott was te boos om te blijven zitten. Hij ging zijn kan-toor uit en liep door het huis. Waarom moest dit gebeuren? Waarom? Hij begreep het niet. God hoorde toch verdriet te genezen, moed te schenken, maar Jennifer was niet genezen. En de hoop, het optimisme waarmee hij had verwacht dat de tijd het trauma wel zou genezen en dat Jennifer uiteindelijk het idee dat ze weer een kind zou krijgen, zou accepteren, was vervlogen. Scott wist dat Jennifer niet op haar beslissing zou terugkomen. Het zou niet helpen als hij haar nog een jaar gaf. Het trauma had haar beslissing onherroepelijk gemaakt.

Hij had oprecht begrip voor haar. Ze kon niet het risico

lopen weer een kind te verliezen. Maar het feit dat hij haar begreep, verzachtte niet zijn eigen pijn. Hij wilde kinderen. Hij wilde een gezin. En hij stond op het punt zijn droom kwijt te raken. Geen kinderen. Hij ervoer de pijn die Jennifer moest hebben ervaren toen ze Colleen verloor. Hij had het gevoel dat zijn hart brak.

Omdat hij ruimte om zich heen wilde, riep Scott Quigley en liep naar het strand.

Haar beslissing had hem op een punt gebracht waar hij zijn eigen beslissing moest nemen.

Hij kon een andere vrouw gaan zoeken om mee te trouwen. Als hij een gezin wilde, was dat zijn optie. Dat wist hij met zijn hoofd, maar de gedachte verdween zodra zijn hart reageerde. Hij hield van Jennifer. Hij kon onmogelijk een einde aan hun relatie maken.

Daardoor bleef alleen de moeilijkste weg over – zijn eigen verdriet dat hij geen gezin zou krijgen, verwerken en tot een punt komen waarop hij die pijn kon aanvaarden. Scott werd zich pijnlijk bewust van wat hij nooit zou hebben. Een eigen baby die hij in slaap kon wiegen, kon leren lopen. Als hij uit zijn werk kwam, zou er geen zoon of dochter naar buiten komen rennen, verlangend om door hem opgetild en geknuffeld te worden.

Hij kon zich aan die realiteit aanpassen. Uiteindelijk. Dat wist hij. Als Jennifer hem de kans gaf. Maar misschien ging ze liever voor altijd bij hem weg dan dat ze hem zijn dromen over een gezin liet opofferen. Zulke kracht bezat ze en dat maakte Scott bang.

God, waarom hebt U dit gedaan? Waarom is Colleen gestorven? Waarom hebt U toegelaten dat Jennifer zoveel verdriet kreeg? Waarom wordt er van mij gevraagd dat ik mijn droom van een gezin laat varen?

'Hij is een goede man, Jen,' zei Rachel terwijl ze naar Jennifer keek.

'Ja,' beaamde Jennifer. Haar stem haperde. Ze zweeg even om hard te hoesten en ze had het gevoel dat haar longen scheurden.

Jennifer glimlachte toen haar nichtje en haar neefjes het huis binnenkwamen en om haar heen kwamen staan om te vragen of ze hen sneeuwengelen had zien maken. Ze was dol op deze drie kinderen. 'Maakt een kusje uw verkoudheid beter?' vroeg Tiffany terwijl ze haar handschoenen uittrok.

'Misschien helpt het,' zei Jennifer, en Tiffany legde haar koude handen om Jennifers nek en gaf haar een dikke zoen op haar wang. 'Ik wil dat u weer beter wordt.'

Er stonden tranen in Jennifers ogen toen ze het meisje omhelsde. 'Dankjewel, schattebout.'

'Jennifer.'

Ze bleef bij de voordeur staan en draaide zich verbaasd om. Scott. Hij was hier. Vijf dagen had ze de telefoon niet opgenomen. Ze had alleen zijn berichten afgeluisterd en zichzelf daarna verboden te antwoorden. Ze had gehoopt dat ze hem boos kon maken, zodat hij de pijn minder zou voelen. En toch was hij gekomen. Hij kwam de oprit oplopen en haar ogen keken naar hem, verlangend, want ze had hem zo gemist. Hij zag er net zo slecht uit als zij zich voelde. Hij had vijf moeilijke dagen achter de rug. 'Scott. Waarom ben je hier?' vroeg ze zacht toen hij bij haar kwam staan.

Hij nam de sleutel van haar over en stak hem in het slot. 'Om met je te praten. Door mijn telefoontjes niet te beantwoorden, verdwijnt het probleem niet,' antwoordde hij vastberaden terwijl hij de deur opendeed. Hij liet haar voorgaan. Ze zag aan zijn gezicht dat hij vastbesloten was. Hij wilde praten.

Jennifer herinnerde zich aan haar eigen besluit en liep voor hem uit het huis binnen. Ze negeerde hem, liep naar de keuken, deed haar jas uit en zocht een glas. Ze was naar de dokter geweest en zijn diagnose dat ze een beginnende longontsteking had, moest wel kloppen. Ze voelde zich ellendig. Scott bleef in de deuropening van de keuken naar haar staan kijken terwijl ze een potje pillen, dat ze bij de apotheek had opgehaald, opendraaide. Ze hield haar glas schuin in zijn richting. 'Wil je iets drinken?'

'Een flinke borrel lijkt me lekker, maar ik zet zo wel koffie,' antwoordde Scott. Hij keek naar haar en dat hij in één oogopslag alles leek te zien wat zich in haar hart afspeelde, gaf haar een ongemakkelijk gevoel.

Scotts intense behoefte om te praten, werd minder. Het feit dat hij gewoon weer bij haar was, veranderde zijn prioriteiten. 'Heb je al geluncht, Jennifer?'

Ze trok een gezicht. 'Ik heb een halve bagel gegeten terwijl ik op mijn recept wachtte.'

Hij glimlachte en gooide zijn jas over een van de keukenstoelen. 'Ga zitten. Ik zal kijken of je iets in huis hebt om klaar te maken.'

'Voor mij hoef je niet te koken.'

Hij bleef voor haar staan en legde voorzichtig zijn handen op haar schouders. 'Ik wil het graag. Dat geeft me het gevoel dat ik me nuttig maak. Dus zeg nu maar ja.'

'Ja.' Ze boog zich voorover en legde haar hoofd tegen zijn borst. Zijn armen sloten zich om haar heen. 'Ik heb je gemist, Scott. Ik heb nu alleen geen energie om te praten.'

De armen kwamen strakker om haar heen. 'Nou, ik laat

me niet buitensluiten. Hoor je me, Jen? Al moet ik mezelf aan je opdringen. Ik vind het vervelend dat je de telefoon niet opneemt als ik bel.'

'Het spijt me.'

Hij kuste haar op haar hoofd. 'Ik vergeef het je. Als je het maar niet weer doet. En ga nu maar zitten terwijl ik aan de slag ga.'

Jennifer ging zitten. Ze leunde met haar hoofd op haar hand en keek naar hem terwijl hij werkte. Hij liep door haar keuken, zocht in de kastjes en de koelkast en was al gauw iets aan het klaarmaken. Jennifer glimlachte en keek naar hem.

Ze had hem zo gemist. Hij was groot en sterk en betrouwbaar en hij was er en ze hield zoveel van hem. Ze wilde dat de situatie anders was, dat ze elkaar op een ander moment in het leven hadden ontmoet, een moment waarop ze bij elkaar hadden gepast en niet nu, nu ze elkaar alleen maar verdriet konden doen.

Een nieuwe hoestbui verstoorde haar gedachten en het kostte haar moeite om genoeg lucht te krijgen. Scott bracht haar een beker hete thee en legde zijn hand op haar voorhoofd, duidelijk bezorgd omdat ze ziek was. Jennifer had de neiging tegen zijn hand te leunen. Ze was gewoon zo moe. Ze had zin om in bed te kruipen en uren te slapen. Ze ging weer rechtop zitten en hij fronste zijn voorhoofd. Ze was de afgelopen jaren wel vaker ziek geweest. Ze was alleen maar erg verkouden, niets ernstigs. Het was zwak om steun bij Scott te zoeken nadat ze tegen hem had gezegd dat ze hun relatie niet konden voortzetten.

Scott zette de lunch op tafel   soep, een salade en vers fruit.

'Dank je. Het ziet er heerlijk uit,' zei Jennifer terwijl ze haar best deed de maaltijd eer aan te doen. 'Je hebt vandaag vrij genomen van je werk,' besefte ze opeens.

'Ja.'

Ze deed haar ogen dicht, duidelijk in verlegenheid gebracht. 'Dit was niet mijn bedoeling, Scott. Ik had je moeten bellen.'

'Dan zou ik toch nog gekomen zijn,' antwoordde hij. 'Ik zie dat je je waardeloos voelt. Wil je een poosje gaan liggen of kunnen we praten?'

'Volgens mij valt er niets meer te praten, Scott.'

'Jawel. Ik hou van je, Jen, en jij houdt van mij,' zei hij met kalm zelfvertrouwen en haar ogen vulden zich met tranen.

'Nou, soms gaat liefde gepaard met verdriet,' antwoordde ze.

'Ik laat je niet los, Jen.'

'Je hebt een vrouw nodig die je een gezin kan geven,' antwoordde ze, haar eigen hoop vernietigend omwille van hem.

'Ik heb jou nodig.'

'En als ik dat niet kan accepteren? Wat dan?'

'Dan wacht ik net zo lang tot je het wel accepteert, Jen. Uiteindelijk zal je verdriet slijten tot een punt waarop je een tweede huwelijk aankunt.'

'Ik laat je je droom niet opgeven, Scott. Je zou het me de rest van ons leven kwalijk blijven nemen en ik heb geen behoefte aan extra schuldgevoelens.'

Scott zuchtte. 'Je moet ons niet tekort doen, Jen. Wil je dan liever dat ik de rest van mijn leven vrijgezel blijf? Want dat is in feite wat je van me vraagt.'

***

'Je zou met die verkoudheid niet naar buiten moeten gaan.'

Jennifer draaide zich om en zag Scott aankomen.

'Peter heeft me verteld waar ik je kon vinden,' zei Scott, die helemaal niet tevreden was met de dikke ogen en het bleke gezicht dat hij zag. Jennifer zag er slecht uit. Hij had gisteravond en vanochtend geprobeerd haar te bellen, maar ze had niet opgenomen en hij had alleen de stem van haar antwoordapparaat gehoord die hem vertelde dat hij een boodschap kon inspreken. Ze had zowel hem als Peter gevraagd haar die dag met rust te laten, maar Scott kon niet aan dat verzoek voldoen. Ze had vandaag iemand nodig. Hij moest vandaag bij haar zijn.

De wind had vrij spel op de begraafplaats en het was bitterkoud voor half december. Scott bleef naast Jennifer staan en keek bedroefd omlaag naar de twee grafstenen op de graven. Hij legde het boeket zalmroze rozen dat hij bij zich had op Colleens graf. Hij wilde Jennifers hand pakken, wat troost bieden, maar ze had haar beide handen in haar zakken gestoken en haar gezicht werd door verdriet overschaduwd terwijl ze niet naar het heden blikte, maar naar het verleden.

Toen ze een paar minuten later nog steeds roerloos stond, werd Scott zo bezorgd dat hij zijn hand uitstak en zacht haar wang streelde.

Jennifer herinnerde zich een gesprek dat ze eerder met Scott had gehad.

Ik wou dat ik een foto van Colleen bij me had. Dan kon ik je die laten zien. Ze had zulke levendige, blauwe ogen. Ze hield haar hoofdje altijd op een bepaalde manier schuin om naar je te kijken. En dan lachte ze naar je.

Toen ze werd geboren, was ze zo klein dat het een worsteling voor haar was om wakker te zijn. Dat kostte haar al haar energie. Dus lag ze maar naar me te kijken en met een verbaasde uitdruk-

king op haar gezichtje met haar oogjes te knipperen. Ze moesten
haar de eerste twee weken door pleisters op haar rug voeden. De dag
dat ze begon te zuigen was prachtig.'

'*Wat mis je het meest, Jennifer?*'

'*Het feit dat mijn leven niet meer om haar draait. Ze gaf me elke*
dag een reden om op te staan. Ook al zat ik de hele dag bij haar
in het ziekenhuis, het was toch routine. Nadat ze was gestorven,
was het verschrikkelijk dat ze er niet meer was. Ik was zo aan haar
gehecht geraakt.'

'*Overweeg je nog meer kinderen te krijgen?*'

'*Nee, nooit. Colleen was zo'n traumatische ervaring dat het lang*
zal duren voordat de intensiteit van die herinneringen afneemt. Ik
wil niet het risico nemen dat weer te moeten meemaken.'

'*Je hield van Colleen. Van een ander kind zou je met dezelfde*
intensiteit houden.'

'*Het feit dat ik mijn oudste dochter ben kwijtgeraakt, zal altijd*
in mijn gedachten blijven.'

'Scott, waarom moest ze sterven? Ze was zo klein. Ze had
een heel leven voor zich. Het was niet eerlijk dat ze stierf.'

Scott sloeg zijn armen om haar heen en trok haar alleen
maar tegen zich aan. 'Ik weet dat het niet eerlijk was, Jen.'

'Ik heb haar gedood.' Scott had bij die woorden het
gevoel dat iemand een mes in zijn hart stak. 'Als ik beter
voor mezelf had gezorgd, zou ze niet te vroeg zijn geboren,'
snikte Jennifer.

Scott nam haar nog steviger in zijn armen. Hij kon
Jennifers schuldgevoelens niet wegnemen. 'Jen, Peter heeft
me veel over die weken verteld. Je hebt het lang genoeg vol-
gehouden om Colleen het leven te schenken. Dat was een
wonder op zich. De artsen hadden nooit verwacht dat het
zo lang goed zou gaan. Heeft Peter je dat wel eens verteld?
Toen je bloeddruk daalde, waren de dokters er zeker van dat

je de baby zou verliezen. Maar dat gebeurde niet. Colleen is blijven leven omdat jij doorzette. Geef jezelf hier nu alsjeblieft ook nog niet de schuld van.'

Ze huilde tegen zijn jas en Scott stond machteloos tegenover haar verdriet. Hij liet haar huilen en wiegde haar zacht en las steeds opnieuw de tekst op de twee grafstenen.

'Je moet uit deze wind vandaan,' fluisterde hij zacht toen haar tranen begonnen op te drogen. 'Wil je met mij mee? Peter en ik halen je auto later wel op.'

Ze knikte zonder haar hoofd op te tillen.

Scott nam haar mee naar zijn auto en installeerde haar op de passagiersstoel. Hij zette de verwarming zo hoog mogelijk en nam een paar minuten om haar bevroren handen warm te wrijven. Omdat haar gezicht rood zag, tilde hij zijn hand op en streek haar haar van haar voorhoofd. Hij voelde dat ze warm was. Ze had minstens achtendertig graden koorts. 'Heb je al iets gegeten vandaag?' vroeg hij vriendelijk en tilde haar kin op zodat hij haar kon aankijken.

Ze schudde haar hoofd en dat verbaasde Scott niet.

Hij belde haar broer vanuit de auto en vertelde hem dat Jennifer bij hem thuis zou zijn. Jennifer gaf er nauwelijks blijk van dat ze het gesprek hoorde. Ze leunde met haar hoofd tegen de stoel en deed haar ogen dicht.

Scott keek naar haar terwijl hij reed. Hij was ervan overtuigd dat ze zo'n vijf kilo was afgevallen sinds die vreselijke dag waarop ze had gezegd dat ze zeker wist dat ze geen kinderen meer wilde. Ze begon de hoop op te geven. Dat hij haar vandaag bij Colleens graf had aangetroffen, had hem niet verbaasd, maar het verontrustte hem wel. Ze raakte uit haar evenwicht als ze over Colleen nadacht. Naar Jerry's dood had ze zich geschikt. Die had ze zelfs aanvaard. Maar Colleens dood was een ander verhaal. Ze had het trauma nog niet kunnen loslaten. Ze geloofde dat haar handelen Colleens dood had veroorzaakt. *God, wat moet ik doen? Hoe kan ik haar het beste helpen?*

Ze sliep toen Scott zijn oprit opreed. Hij maakte haar niet wakker. Hij deed de voordeur open, droeg Jennifer voorzichtig naar binnen en legde haar op de bank. Hij vond een gehaakte sprei die zijn moeder had gemaakt, legde die over haar heen en ging toen naar de keuken om iets klaar te maken wat ze misschien kon eten. Eigenlijk moest ze iets innemen tegen de koorts, maar dan zou hij haar wakker moeten maken om erachter te komen of ze al iets had geslikt en Scott besloot dat slaap belangrijker was.

Hij maakte aardappelsoep klaar, roosterde bagels en bracht het eten toen naar de woonkamer. 'Jen.' Hij schudde zacht aan haar schouder. Ze werd suf en verward wakker. 'Ik heb wat aspirine voor je gehaald tegen de koorts. Heb je al eerder iets ingenomen?' vroeg Scott.

Jennifer deed haar best om na te denken en sloeg de deken terug met een hand die zo zwaar aanvoelde dat ze het idee had dat ze hem nauwelijks kon bewegen. 'Nee. Niet sinds vanmorgen vroeg.' Scott gaf haar de aspirines en ze slikte ze door. De lunch rook zo lekker en haar hoofd en haar ogen deden zo zeer.

Scott kwam naast haar op de bank zitten en streek voorzichtig haar haar naar achteren. 'Wil je proberen iets te eten?' vroeg hij rustig.

Jennifer deed haar ogen dicht. Ze genoot van zijn aanraking die ze de afgelopen dagen zo had gemist. 'Zometeen,' antwoordde ze zacht. Even later deed ze haar ogen open en keek hem aan met een blik vol verdriet. 'Dank je dat je vandaag bent gekomen. Ik had gezegd dat je niet moest komen, maar ik had het mis. Het was moeilijk om daar alleen te zijn.'

'Ik zal er altijd voor je zijn, Jen. Denk daar alsjeblieft aan. Ik ga niet weg.' Scott merkte dat ze hem wilde tegenspreken, tegen hem wilde zeggen dat hij weg moest gaan, maar haar verkoudheid was te ernstig en ze had geen kracht om tegen hem in te gaan. 'Probeer eens wat van die soep,' zei hij en hielp haar rechtop te gaan zitten. Hij bleef naast haar zitten terwijl ze at. Zijn eigen kom at hij leeg in een fractie van de tijd die Jennifer nodig had om een paar hapjes te nemen. Toen ze zoveel mogelijk had gegeten, draaide hij haar een kwartslag om op de bank en trok haar tegen zijn borst om te rusten. Hij sloeg de deken om haar heen en hield haar alleen maar vast. Hij wilde praten, vragen stellen en haar antwoorden horen en een manier zoeken om haar pijn te genezen, maar dit was niet het juiste moment en er zou nog wel een ander moment komen; dat moest hij geloven. Hij hield haar vast en met de warmte van zijn armen hielp hij haar te vechten tegen de rillingen die zo nu en dan door haar heen voeren. 'Ik heb je gemist,' zei hij zacht.

'Ik jou ook.' Scott was ongelooflijk blij die zachte woorden te horen. Jennifer viel in zijn armen in slaap.

Scott was er tevreden mee om gewoon op de bank te zitten en haar vast te houden. Toen Quigley hen kwam zoeken, zorgde Scott er stilletjes voor dat de pup op Jennifers schoot klom en zich daar oprolde. Ze werd een beetje wakker, drukte het hondje tegen zich aan en viel met haar armen om hem heen weer in slaap.

Het was moeilijker dan de vorige keer om Jennifer ervan te overtuigen dat ze naar een van de logeerkamers moest gaan om een poosje echt te slapen. Ze was niet van plan te blijven logeren en Scott was niet van plan haar alleen thuis te laten. Hij gaf haar de optie om bij Peter en Rachel of bij zijn zus te gaan logeren, maar hij piekerde er niet over haar alleen thuis te laten. Peter stond achter hem en daardoor lukte het Scott uiteindelijk haar ervan te overtuigen dat ze een logeerkamer moest nemen. Hij stopte haar die avond in bed, zette iets te drinken op haar nachtkastje, legde aspirines klaar die ze later kon innemen en extra dekens die ze kon pakken als ze het koud kreeg.

Nadat Scott haar welterusten had gewenst en naar de gang liep, kon hij een glimlach niet onderdrukken. Jennifer was geen goede patiënt.

Ze sliep de volgende ochtend dwars door het ontbijt heen. Scott zat om tien uur de krant te lezen toen Jennifer eindelijk in de keuken verscheen. Scott wilde dat hij kon zeggen dat ze er beter uitzag, maar de koorts had haar uiterlijk geen goed gedaan. Het kon Scott niet schelen. Ze was in ieder geval op. 'Goedemorgen,' zei hij vriendelijk en stond op om naar haar toe te lopen.

'Heb je koffie?' vroeg ze. Haar stem klonk schor.

'Ja. Ik zal het voor je inschenken. Ga maar zitten, Jen.'

Ze was onuitsprekelijk moe en ging zitten.

'Hoe is het met de koorts?'

'Die zakt,' zei ze en liet haar kin op haar hand rusten. 'Ik heb er een hekel aan om ziek te zijn.'

'Dat vindt niemand leuk,' antwoordde Scott terwijl hij een beker koffie en een sneetje appelbrood voor haar neerzette. 'Heb je nog meer aspirines ingenomen?' Ze knikte en hij ging weer zitten.

'Je hebt weer vrijgenomen van je werk voor mij.'

Hij glimlachte. 'Ik heb het verdiend,' antwoordde hij. 'Jen, heb je zin om in mijn bibliotheek een boek op te zoeken dat je kunt lezen of wil je liever op de bank kruipen en televisie kijken? Ik heb een paar films op video,' bood Scott aan.

Jennifer glimlachte. 'Ik stel je zorg op prijs, maar ik moet naar huis.'

Het was een van de weinige keren dat hij een discussie met haar verloor. Ze wilde naar huis en hij kon haar niet op andere gedachten brengen.

Scott vond het moeilijk haar naar huis te brengen en haar daar achter te laten. Ze moesten gauw gaan trouwen. Hij was dit zat.

'Jen, mag ik je een paar vragen stellen?' Een paar lokjes van haar haar bewogen door Scotts adem toen hij de stilte in de kamer verbrak.

Ze zaten op de bank in haar woonkamer en hij hield haar in zijn armen. Haar hoofd lag tegen zijn borst en over haar benen lag een quilt. Zijn armen lagen stevig om haar middel en zijn handen lagen ontspannen gevouwen op de hare, die ze onder de deken had gestopt. De longontsteking had haar van haar kracht beroofd en hoewel de koorts weg was, was hij niet van plan haar naar buiten te laten gaan.

Het was tijd.

'Ik zal ze beantwoorden als ik dat kan,' zei ze ten slotte. Hij hoorde haar aarzeling en gaf haar een geruststellende kus op haar voorhoofd en sloeg zijn armen steviger om haar heen. 'Ik heb veel gebeden over wat er is gebeurd en er zijn wat dingen die ik wil begrijpen. Misschien weet je de antwoorden wel niet, maar dat geeft niet, want ook dat helpt me om je te begrijpen.'

Ze knikte en hij voelde dat ze diep ademhaalde. 'Wat zijn je vragen?'

God, ik kan wel wat hulp gebruiken, bad Scott.

'Ik wil weten waar je precies bang voor bent. Waar wordt je angst precies door veroorzaakt? Word je bang bij het idee van een nieuwe zwangerschap?' Hij liet zijn stem rustig en vast klinken en hij voelde een deel van de spanning uit haar lichaam wegvloeien toen hij die vraag had gesteld.

'Nee. De misselijkheid valt niet mee, maar zwanger zijn vond ik geen probleem.'

'Maakt de herinnering aan de bevalling je angstig?'

Hij voelde dat ze in elkaar kromp. Goed. Dat was een van de antwoorden die hij wilde hebben. 'Van welk onderdeel van die herinnering word je bang? De pijn? De ziekenhuis-omgeving? De dokters?'

Haar handen bewogen onrustig onder de zijne. 'Het hoorde nog niet te gebeuren. Het was te vroeg. En ik wist dat ik mijn baby verloor.'

Scott draaide haar handen om zodat hij zijn vingers door de hare kon vlechten. Ze was bang dat ze weer te vroeg zou bevallen.

'En als je nu eens een gezonde baby kreeg, zoals Mary Elizabeth? Maakt dat je ook angstig?'

Hij dacht bijna dat ze de vraag niet had gehoord, omdat ze zo lang bleef zwijgen. Toen voelde hij haar knikken. 'Ze zou kunnen stoppen met ademhalen,' fluisterde Jennifer.

Wiegendood. Dat lag voor de hand. Dat had hij niet hoe-ven vragen.

'Als ze vier zou zijn, zoals Amy, zou je dan nog bang zijn?' vroeg hij om het beeld van een baby uit haar hoofd te krij-gen.

Haar handen bewogen ten slotte in de zijne en gaven aan dat ze niet wist wat ze moest antwoorden.

'En negen, zoals Greg, of twaalf, zoals Tiffany?'

Ze glimlachte even. 'Die voelen wel stevig aan, alsof hen niet veel ernstigers kan overkomen dan een gebroken arm.'

Goed. Hij had zijn antwoorden. Scott kuste haar voorhoofd en zuchtte diep. 'Nog een laatste vraag. Als de kwestie van kinderen geen rol speelde, zou een tweede huwelijk dan alsnog een probleem zijn? Beangstigt het idee weer getrouwd te zijn je?'

'Ik ga je niet beroven van je verlangen een gezin te stichten.' Het was een botte weigering en die deed hem verdriet omdat hij eruit opmaakte dat er nog een flinke strijd gestreden moest worden.

'Maakt het idee weer getrouwd te zijn je bang?' vroeg hij, vastbesloten dat fundamentele antwoord te achterhalen. Hij gaf haar tijd om erover na te denken en voelde haar lichamelijke reactie toen ze ten slotte het antwoord op de vraag had bedacht. Hij deed zijn ogen dicht. Voordat ze sprak, wist hij wat er zou komen en het was het antwoord dat hij meeste had gevreesd. Door al haar verdriet om Colleen vergat ze soms het feit dat de dood haar ook Jerry onverwachts had ontnomen. Hij had zijn vragen bewust afzonderlijk gesteld, omdat hij vermoedde wat de waarheid was. Toen ze uiteindelijk sprak, waren haar woorden maar nauwelijks hoorbaar en ze schenen als een schok voor haar te komen. 'Ja. Het idee weer getrouwd te zijn, maakt me doodsbang.'

13

Jennifer deed een poging haar stoot uit te denken voordat ze de speelbal raakte, maar ze kon gewoon de concentratie niet opbrengen en terwijl het gladde hout tussen haar vingers door schoot, deed ze haar ogen dicht en trok een gezicht. Ze hoefde niet eens te kijken om te weten dat ze Bob Volishburg zijn volgende stoot op een presenteerblaadje had aangereikt. Haar vriend schoot de achtbal in een van hoekpockets en won het spel daarmee op zijn sloffen.

'Wil je me vertellen wat er mis is?' vroeg hij terwijl hij toekeek hoe ze de driehoek oppakte en de ballen erin legde.

Ik ben doodsbang om weer een echtgenoot te verliezen, dus maak ik een einde aan de relatie met de man van wie ik houd. Haar gezicht vertrok door de vreselijke situatie waarin ze zich bevond. 'Niet echt.'

'Doe het toch maar,' antwoordde Bob.

Jennifer schudde haar hoofd en stootte de ballen uit elkaar voor hun vierde potje. Bob was om tien uur komen binnenvallen en had aangeboden een paar keer tegen haar te spelen. Daarvoor had ze niets anders gedaan dan ballen op een rij leggen en ze systematisch in de pockets schieten.

'Peter vertelde me dat je een relatie hebt.'

'Mijn broer praat te veel.'

'Nou, aangezien ik je hier al drie weken niet heb gezien,

vermoed ik dat het behoorlijk serieus is.'

'Dat was het ook.'

'Aha, was. Interessant woord.'

Jennifer lachte vreugdeloos. 'Ik heb geen zin om te praten.'

'Jij hebt een open oor als ik je over Linda vertel, dus wil ik je een wederdienst bewijzen,' antwoordde Bob. 'Jerry zou het niet erg vinden als je een serieuze relatie kreeg met een andere man.'

'Ik wil niet weer een echtgenoot verliezen,' zei Jennifer en gaf de tienbal zo'n explosieve stoot dat zowel die als de speelbal in de zijpocket knalden.

Bob legde de strafbal neer en overwoog waar hij de speelbal wilde neerleggen. 'Ik stel me voor dat dat nog erger is dan een collega verliezen,' antwoordde hij.

Bob had tijdens zijn loopbaan twee collega's verloren en Jennifer wist hoe moeilijk hij het ermee had gehad. 'Het is erg,' beaamde ze. Bob had 's avonds laat vaak pool met haar gespeeld als ze geen zin had om naar huis te gaan.

'Als je dapper bent, waag je het nog een keer. Het ergste heb je al een keer meegemaakt.'

Ze was dankbaar dat hij niet aanvoerde dat het onwaarschijnlijk was dat het nog een keer zou gebeuren. Dat was niet relevant en dat wisten ze allebei. 'Zoveel moed heb ik niet. Ik ben een deel van mezelf kwijtgeraakt toen ik Jerry verloor. Als ik nog een keer iemand in mijn leven toelaat en ik verlies diegene ook, blijft er niet veel van me over.'

'De dingen die het meeste waard zijn in het leven brengen risico's met zich mee. Jij bent nooit een type geweest dat op safe speelt. Je speelt niet op safe als je aan het poolen bent en je speelt niet op safe als je schrijft. Je hebt al helemaal niet op safe gespeeld in de manier waarop je van Colleen hebt gehouden. Maar je zou jezelf niet zijn als je die risico's niet nam.'

'Soms moet je even gas terugnemen en de kosten berekenen. Dat heb jij ook gedaan toen je je met moordzaken ging bezighouden in plaats van met drugsbestrijding,' wierp Jennifer tegen.

Bob haalde zijn schouders op. 'Ik werd het zat om steeds beschoten te worden. Natuurlijk is het verstandig om af en toe de risico's die je neemt te evalueren. Maar als je helemaal geen risico's meer neemt, wordt het leven saai.' Hij glimlachte. 'En dat is wel het laatste wat wij allebei willen.'

Jennifer glimlachte en stootte de bal in een hoekpocket. 'Misschien word ik wel oud, Bob, maar het is niet zo eenvoudig meer als vroeger. Ik heb geen behoefte aan nog meer verdriet.'

'En het doet je geen verdriet om bij hem weg te gaan?' vroeg Bob, de kern van de zaak rakend.

Ze konden adopteren. Een ouder kind, want Jennifer zou met een kind onder de tien in paniek raken, maar adoptie was een optie.

Scott probeerde te bedenken wat hij van het idee vond terwijl hij met Quigley over het strand wandelde. Hij wist wel dat hij er geen al te rooskleurig beeld van moest hebben. Hij had Kevins vrienden uit de pleegzorg ontmoet. De meesten waren net als Kevin. En hoewel hij de jongen oprecht mocht, kon hij niet ontkennen dat hij problemen had en een uitdaging was. Jennifers littekens zouden verbleken bij die van een kind dat op die leeftijd uit het pleegzorgsysteem kwam. Jennifer ging opmerkelijk goed met haar verdriet om. Een kind had niet de levenservaring van een volwassene. Het zou vol zitten met woede en pijn en zou nauwelijks benaderbaar zijn. Het zou 'ik hou van je' horen en dan onmiddellijk denken aan tien andere mensen in zijn leven die hetzelfde hadden gezegd en het toch hadden mishandeld of in de steek hadden gelaten. Het waren kinderen die dringend liefde nodig hadden en iemand die in hen geloofde, maar die in het verleden zo ernstig waren beschadigd dat ze uitgerekend dat wat ze het meeste nodig hadden, zouden afwijzen. Ze kwamen vaak in de problemen op school, kwamen vaak in aanraking met de politie en maakten van discipline en regels een voortdurende strijd terwijl ze het verleden verwerkten.

Ze wilde niet met hem trouwen als hij zijn droom, zijn eigen gezin te hebben, opofferde. Daar kwam het eenvoudigweg op neer. Of ze accepteerde het idee van adoptie óf hij zou haar kwijtraken. Zoveel begreep Scott wel. Ze meende het dat ze niet met hem zou trouwen ten koste van zijn droom. Maar als hij haar er met succes van wilde overtuigen dat ze kinderen konden adopteren, zou hij er eerst zelf volledig van overtuigd moeten zijn dat hij dat wilde. Hij kon de realiteit van wat het betekende om een ouder kind te adopteren niet bagatelliseren en luchthartig zeggen dat het wel goed zou komen. Dat zou ze nooit slikken. Voordat hij haar ervan kon overtuigen, moest hij eerst zelf geloven dat het een aanvaardbare oplossing was. Er mocht geen spoor van twijfel meer in zijn hart zijn.

Zou hij Kevin als zijn zoon kunnen aannemen? Kevin, die boos en verward was en altijd probeerde hoever hij kon gaan? Ze zouden waarschijnlijk te maken krijgen met een kind dat veel op hem leek. Scott merkte dat hij de kosten en baten tegen elkaar afwoog. Het zou een geweldige prestatie zijn om zo'n kind weer op de rails te krijgen, een opleiding te geven en het zoveel steun te bieden dat het op den duur zelfstandig in het leven kon staan. Het zou de prijs waard zijn.

Zijn grootste angst was de druk die het op hun huwelijk zou zetten. Zouden ze zover kunnen komen dat het sterk genoeg was om de spanning die een kind in die toestand met zich meebracht, te absorberen? Het zou niet meevallen om te gaan met de boosheid en het verdriet waarmee ze te maken zouden krijgen, niet omdat zij als ouders die verdienden, maar omdat dingen uit het verleden van het kind eindelijk een uitweg vonden en zij als doelwit in de buurt zouden zijn.

Scott riep Quigley naast zich en bukte zich om de pup op te tillen.

God, wat wilt U dat ik doe? Wilt U echt dat ik oudere kinderen adopteer? Is dat Uw plan? Ik wil Jennifer niet kwijt. En als dit mijn enige optie is, help me dan dat te accepteren. Alstublieft.

Jennifers angst om een echtgenoot te verliezen, zat diep en het zou niet meevallen die te overwinnen, maar Scott dacht over dat probleem na en wist dat het niet onmogelijk was. Een ouder kind adopteren was een ander verhaal. Hij zou niet alleen Jennifer zover moeten krijgen dat ze dat idee accepteerde, hij zou eerst zelf zover moeten komen dat hij er oprecht achter kon staan. Op dit moment werd hij nog verscheurd door twijfel.

'Naar welke ring kijk je?' vroeg Heather terwijl ze Mary Elizabeth zachtjes heen en weer wiegde in haar armen. Haar dochter was nu wakker en kraaide van plezier terwijl ze met haar handjes naar Heathers haar greep. Zij en Scott hadden met de baby in de kinderwagen door het winkelcentrum geslenterd om kerstcadeautjes te kopen. Dit was de derde keer dat Scott hen langs deze juwelierszaak voerde.

Scott wees naar de achterkant van de etalage. 'Die met die diamant in het midden en die smaragdjes eromheen. De verlovingsring heeft ook een diamant en is afgezet met robijnen. Denk je dat ze die mooi vindt?'

'Ze vindt hem vast prachtig,' antwoordde ze. Jennifer zou waarschijnlijk tegen de uitgave protesteren, maar de ring zou ze prachtig vinden. Ze zag dat haar broer zuchtte en over zijn nek wreef. 'Wat is er?' vroeg Heather. Haar broer maakte zelden zo'n zorgelijke indruk. Hij had slechts met moeite belangstelling voor de kerstinkopen kunnen opbrengen en dat was niets voor hem. Hij haalde zijn schouders op en gaf geen antwoord. Omdat ze de indruk kreeg dat hij de ring vandaag waarschijnlijk niet zou kopen, trok Heather zacht aan zijn arm. 'Kom, laten we ergens gaan lunchen.' Ze gingen naar een zaak op de benedenverdieping van het winkelcentrum waar ze soep en broodjes konden krijgen en schoven aan een tafeltje. Hun bestelling werd gebracht en Scott glimlachte omdat Mary Elizabeth zo beweeglijk was. 'Geef haar maar aan mij, Spriet, dan kun jij je soep eten,' bood Scott aan en zijn zus gaf hem de baby. 'Hallo, meiske, hoe is het met jou vandaag? Je vindt al die kleuren en lichtjes wel mooi, hè? Vind je winkelen later net zo leuk als je moeder?' Mary Elizabeth lachte naar hem, kirde en zwaaide met haar armpjes. Haar beentjes trappelden tegen zijn dijen. Scott lachte en kuste haar op haar wang. Hij legde haar tegen zijn schouder en keek naar zijn zus. Er kwam een ernstige blik in zijn ogen.

'We zullen geen kinderen krijgen. Ze is zo bang, Spriet.' Er stonden tranen in zijn ogen die hij niet liet vallen.

Ze legde haar hand op de zijne. 'Wat erg, Scott.'

Hij aarzelde. *Het doet me zoveel verdriet, Spriet.* 'Ja,' zei hij ten slotte. Hij moest zijn pijn zelf verwerken.

'Je mag Mary Elizabeth net zo vaak lenen als je wilt. De kinderen zijn dol op hun oom,' zei ze in een poging om hem te helpen.

'Dank je, Spriet. Dat zal ik doen.'

'Ga na de lunch die ringen kopen, Scott,' zei Heather tegen hem, omdat ze wist dat die beslissing de enige was die hem rust zou geven.

'Denk je echt dat ze ze mooi vindt?' vroeg hij en hij deed zijn best zijn verdriet van zich af te zetten.

Heather kon zich niet herinneren dat ze haar broer ooit zo onzeker had gezien. 'Absoluut. Ze zijn schitterend,' stelde ze hem gerust en glimlachte naar hem.

'Ik heb ook een gouden ring gezien die ik zelf mooi vind.'

'Kom maar binnen, Scott. Sorry dat ik nog niet klaar ben,' riep Jennifer vanuit de keuken.

Scott duwde de deur open en stapte naar binnen. Hij schudde de sneeuw van de jas die hij had uitgedaan en mee naar de keuken had gebracht. Hij liet hem over de rugleuning van een stoel vallen. Het huis zag er feestelijk en kleurig uit en Jennifer had kerstmuziek aan staan. 'Hoe zijn de koekjes geworden?'

Jennifer glimlachte naar hem vanaf het aanrecht, waar ze koekjes met glazuur in een doosje deed. 'Heerlijk. Tiffany, Tom en Alexander hebben ze alle drie goedgekeurd.'

Scott kwam naar haar toe, legde zijn hand op haar rug en boog zich naar haar toe om haar een kus te geven. Haar zalmroze trui voelde zacht en warm aan onder zijn hand en hij streelde zacht haar rug. 'We hebben geen haast. Ik heb tegen mijn moeder gezegd dat we de doosjes in de loop van de avond komen brengen, maar ze hoeven pas morgenmiddag naar het verpleeghuis. Ik geloof dat de jeugdgroep er ook nog twintig heeft gemaakt. De laatste daarvan heb ik op weg hiernaartoe opgehaald.'

Jennifer stopte even met haar bezigheden. 'Ik ben blij dat je moeder dit doet. Als het alleen voor mezelf is, bak ik geen koekjes. En ik kan er ook maar zoveel aan Peter en Rachel en de kinderen geven.'

'Welke zijn het lekkerste? De kerstboompjes, de rendieren of de wandelstokjes?' vroeg Scott terwijl hij de mogelijkheden bekeek.

'Probeer maar een wandelstokje. Die breken zo makkelijk als je ze in een doosje doet.'

Scott pakte een suikerkoekje en ontdekte dat het heerlijk was. 'Je hebt toch nog niet gegeten?' vroeg hij en hoopte dat ze bereid was geweest te wachten.

'Ik heb laat geluncht. Wat heb je in gedachten? Ik moet me nog verkleden.'

'Die spijkerbroek is prima. Ik wilde een gemengde schotel met je delen bij Shaw's,' stelde hij voor.

'Klinkt prima.' Ze stopte de laatste koekjes in een doos en zette die op de stapel op de tafel. Nu ze haar handen eindelijk vrij had, liep ze naar hem toe om hem te omhelzen. 'Hoe is het vanavond met je?' vroeg ze zacht.

Hij legde zijn handen om haar middel en trok haar tegen zich aan. Hij vond het prettig haar handen op zijn rug te voelen. Hij kuste haar zonder haast. 'Goed. Ik heb je gemist de afgelopen dagen,' zei hij en keek haar in haar bruine ogen, die hem zo deden denken aan die van een ree. Ze had prachtige ogen.

Ze zuchtte en legde haar hoofd tegen zijn borst en maakte van de gelegenheid gebruik om zachtjes haar nek en haar schouders te masseren. Hij voelde spanning in haar lichaam.

'Ik ben blij dat je er bent. Ik hou niet echt van Kerst en dat is een vreselijk gevoel.'

Hij wreef haar over haar rug met troostende, lange streken van haar schouders en ruggengraat naar haar middel. 'Ik weet het.' Het was haar niet gelukt het verdriet in haar ogen te verbergen en hij wist dat ze last had van haar herinneringen. 'We zullen ervoor zorgen dat je het te druk hebt om na te denken. Gaan we op kerstavond naar Rachel en Peter?'

'Als je zeker weet dat je dat wilt. Je zou dan eigenlijk bij je eigen familie moeten zijn.'

Haar bezwaar bracht een glimlach op zijn gezicht. 'Jullie worden mijn familie,' antwoordde hij luchtig.

'Scott…'

Hij tilde haar kin op en kuste haar voordat ze kon protesteren. 'We gaan eerste kerstdag bij mijn ouders lunchen,' zei hij. Hij knikte naar de doosjes op de tafel. 'Het is koud buiten. Je hebt je lange jas nodig,' adviseerde hij.

Hij zag dat ze verder wilde praten, maar nadat ze hem had aangekeken, sloeg ze haar ogen neer en knikte alleen maar. Scott gaf haar een zacht kneepje in haar handen voordat hij ze losliet. Hij zou haar vanavond vragen. Die beslissing had hij net genomen.

Scott hoefde niet erg zijn best te doen om Jennifer over te halen dichter naast hem te gaan zitten tijdens de rit naar zijn ouders. Hij pakte haar hand die op de stoel lag. Ze was in gedachten verzonken en Scott deed geen poging haar overpeinzingen te onderbreken. Het voelde goed haar naast zich te hebben en het was nu zo anders dan een paar maanden geleden toen hij alleen naar zijn ouders was gereden om zijn verjaardag te vieren. Zijn moeder was thuis, maar zijn vader niet en Scott bleef niet hangen. Hij en Jennifer brachten haar doosjes en die van de jeugdgroep naar de eetkamer, waar zijn moeder verschillende andere bijdragen al had ingepakt. Scott kuste zijn moeder bij de deur. Hij zag de vraag in haar ogen en hij glimlachte alleen maar. Het was hem nooit gelukt een geheim voor haar te bewaren en ze wist dat er vanavond iets aan de hand was. 'We zien jullie eerste kerstdag weer voor de lunch,' zei hij tegen haar en omhelsde haar.

Jennifer had verwacht dat het restaurant vol zou zitten met groepjes mensen die ter gelegenheid van Kerst met elkaar uit eten gingen, maar de parkeerplaats stond slechts gedeeltelijk vol. Scott stapte uit en liep om de auto heen om haar portier open te doen. Hij bood haar zijn arm aan terwijl ze over de gladde parkeerplaats liepen. Ze gingen in een hoekje achter in het restaurant zitten en Scott bestelde een grote schotel met diverse hapjes en twee cola light voor hen. 'Heb je al je kerstinkopen gedaan?' vroeg Scott haar terwijl ze allebei een verse broodstengel pakten uit de mand die de serveerster had gebracht.

Ze grinnikte. 'Het cadeautje voor Rachel was het laatste wat ik nodig had en dat heb ik vanochtend gekocht. Heb jij nog iets voor Heather gevonden?'

Scott glimlachte. 'Ik heb een orchidee voor haar gekocht. Eén bloeiende plant en nog wat bollen die ze kan poten.'

'Daar is ze vast blij mee.'

Scott bleef een paar minuten stil. 'Je mist Colleen erg, hè?' vroeg hij zacht.

Jennifer wenste dat hij haar niet zo goed doorzag. 'Ongelooflijk. Ze heeft nooit een kerstfeest meegemaakt,' zuchtte ze en wilde dat er een manier was om de pijn te laten verdwijnen. 'Het meeste in de kinderkamer heb ik kort nadat Colleen was gestorven, opgeruimd – het wiegje, de commode. Maar de schommelstoel heb ik nog, de kleertjes die ik voor haar heb gemaakt, het enkelbandje waar haar naam op stond. Ik zeg steeds maar tegen mezelf dat ik die spullen moet wegbergen en dat ik weer een logeerkamer van de babykamer moet maken, maar als ik er binnen ga, wil ik alleen maar in de schommelstoel zitten en huilen.' Ze vond het zo erg dat ze dat moest bekennen.

'Jen, misschien is dat ook precies wat je moet doen. Jezelf toestaan om te huilen.'

'Ik heb genoeg gehuild, Scott.'

Zijn hand streelde zacht de rug van haar hand. Ze moest zich inhouden om haar hand niet om te draaien en de zijne vast te grijpen. 'Je bent veel kwijtgeraakt, Jen. Geef jezelf de vrijheid om te rouwen.'

Zijn vriendelijkheid en bezorgdheid waren zo groot dat ze bijna niet wist wat ze ermee aan moest. 'Kunnen we het ergens anders over hebben?' vroeg ze en ze hoopte dat hij zich niet beledigd zou voelen.

Hij glimlachte.

'Vertel me dan maar over je boek,' stelde hij voor. De schaal met vis en schaaldieren werd gebracht en ze spraken over haar werk bij de gestoomde sint-jakobsschelpen, de knoflookgarnalen, de mosselen in de schelp en de klauwen van blauwe krab uit Louisiana. Jennifer voelde hoe haar verdriet op de achtergrond raakte terwijl ze met Scott zat te praten. Ze hield van hem. Haar liefde voor hem zat net zo diep als die voor Jerry en ze wenste vurig dat ze haar angst om kinderen te krijgen kon overwinnen, zodat ze samen een toekomst konden hebben. Maar ze was vastbesloten te doen wat het beste voor hem was, en op dit moment was zij dat niet. Maar Bob had gelijk. Ze zou er ontzettend veel verdriet van hebben als ze hem niet meer zou zien.

Ze verlieten het restaurant even na achten en toen Scott

haar voorstelde een eindje te gaan rijden, stemde Jennifer daar graag mee in. Als ze bij hem was, had ze minder verdriet.

Scott keek onder het rijden naar Jennifer en wilde dat hij een idee had hoe ze op zijn aanzoek zou reageren. Er waren momenten in zijn leven waarop hij iemand anders zijn hart in handen gaf en vanavond was zo'n moment.

'Jen?'

Ze draaide haar hoofd naar hem toe en glimlachte en de glimlach bereikte haar ogen en maakte haar zo mooi. 'Ja?'

'Schuif eens een beetje naar me toe,' moedigde hij haar aan.

Ze schoof met een glimlach opzij en hij legde zijn arm om haar schouders. 'Waar gaan we heen?'

Scott glimlachte. 'Wat dacht je van een open haard, een beker warme chocolademelk en het geblaf van een heel enthousiaste pup?'

'Geweldig.'

Quigley begroette hen bij de deur met een koude neus en een wiebelend lijfje. Jennifer gaf Scott haar jas en tilde de hond lachend op. 'Hallo, Quigley, mooie jongen van me.' De pup likte haar kin en Jennifer lachte. Toen ze hem over zijn oor aaide, drukte hij zijn lijfje gelukzalig wiebelend dichter tegen haar aan.

'Neem hem maar mee naar de woonkamer. Ik kom zo met de chocolademelk. Het hout ligt al klaar in de open haard en hoeft alleen nog maar te worden aangestoken,' zei Scott terwijl hij zijn hand op haar rug legde en zijn andere hand door de vacht van het hondje haalde.

Toen Scott een minuut of tien later binnenkwam, brandde het vuur. Jennifer had haar schoenen uitgeschopt en zat met opgetrokken benen aan het einde van de bank met

Quigley bijna in slaap op haar schoot. Scott ging naast haar zitten en gaf haar voorzichtig een van de bekers die hij bij zich had. Hij glimlachte en streek met zijn vinger over haar neusbrug. 'Mooie sokken heb je.'

'Dank je. Ik vond die kerstboompjes wel toepasselijk.'

Scott strekte zijn benen uit en legde zijn hoofd tegen de rugleuning van de bank. Hij keek naar het flakkerende vuur rond de houtblokken. Ze zwegen een paar minuten en genoten allebei van de stilte. Jennifer schoof een stukje op zodat ze tegen zijn schouder kon zitten en hij verwelkomde haar in zijn armen. 'Waar zat je zo diep over na te denken?' vroeg ze.

Scott haalde diep adem. Het werd tijd. *God, geef dat mijn woorden de juiste zullen zijn.*

'Hoe sta je ertegenover om een ouder kind te adopteren?' vroeg hij zacht en draaide zijn hoofd naar haar toe om op haar neer te kijken.

'Adopteren?'

'Je weet dat ik graag een gezin wil, maar ik kan goed begrijpen dat het idee weer kinderen te krijgen je angst aanjaagt. We zouden een kind als Kevin kunnen adopteren.' Scott glimlachte. 'Die is niet bepaald fragiel meer, weet je.'

'Jawel, vanbinnen wel.'

Scott streelde voorzichtig haar haar. 'Ik weet dat je gelijk hebt. Mensen vergeten dat alleen af en toe als ze tegen dat schild van hem aan botsen.'

Jennifer greep zijn hand. 'Wil je werkelijk overwegen een ouder kind te adopteren, ondanks de problemen die dat met zich mee kan brengen?'

Scott wilde dat hij haar stem zo goed kende dat hij kon uitmaken of die hoop of angst uitdrukte, maar alles wat hij zeker wist, was dat de rustige, ontspannen vrouw die hij net nog in zijn armen had gehad, nu stijf en gespannen was. Zijn handen streelden haar armen en probeerden de spanning te verdrijven.

'Jen, je moet moeder worden. Een gezin is net zozeer jouw droom als de mijne. Die droom is niet verdwenen toen Colleen stierf. Hij is alleen ernstig beschadigd.' Hij kuste haar op haar hoofd. 'Je zou een goede moeder zijn. Dat weet ik zeker.'

Haar ogen waren vochtig toen ze haar haar uit haar gezicht streek. Hij reikte naar achteren om het cadeautje te pakken dat hij op het bijzettafeltje had gezet. 'Dit is voor jou,' zei hij rustig en legde haar beide handen om het kleine pakje. Hij glimlachte om haar gezichtsuitdrukking. 'Toe maar, maak maar open,' moedigde hij haar aan.

Haar handen trilden een beetje toen ze de strik en het donkergroene cadeaupapier losmaakte. Ze aarzelde voordat ze het doosje openmaakte.

'Wil je met me trouwen, Jen?'

De tranen begonnen te vallen. Scott veegde ze weg en sloeg zijn armen om haar heen. Hij nam de verlovingsring uit het gleufje in het fluweel en legde hem in de palm van haar hand. 'Ik vind dit een mooie ring, Jen. Hij is bijzonder, net als de ring die je al draagt. Wij zouden samen ook iets bijzonders kunnen hebben als je ja zegt.'

Haar hand sloot zich om de ring en hield die stevig vast. 'Je doet me een aanzoek en je wilt dat we adopteren.' Er lag zoveel emotie in haar stem...

Scott tilde haar hand op en drukte er een kus op. 'Ja.'

Hij voelde haar onregelmatige ademhaling. 'Ik weet niet wat ik moet zeggen.'

'Zeg dat je erover na zult denken,' zei Scott vriendelijk. Hij legde zijn handen om haar gezicht en tilde het op, zodat hij haar goed kon aankijken. Haar blik was vol emoties – onzekerheid, angst, liefde, hoop, verdriet. Hij glimlachte opzettelijk. Hij had zojuist zijn toekomst en de hare op een kruispunt gezet. 'Ik ga met je trouwen, Jen. Ik zal jouw leven veranderen en jij het mijne en wij samen het leven van de kinderen die God aan ons zal toevertrouwen. Ik hou van je, Jen.'

Ze begroef haar hoofd tegen zijn borst en herwon met moeite haar zelfbeheersing. 'Ik zal erover nadenken.'

Hij gaf haar een kus op haar voorhoofd. 'Denk zo lang als je wilt, Jen. Ik loop niet weg,' beloofde hij. Alles stond op een kruispunt en nu zat er niets anders op dan afwachten.

14

Kon ze adopteren? Zou ze de angst om weer getrouwd te zijn, kunnen overwinnen, een kind kunnen adopteren en voor een gezin kunnen zorgen? Of liep ze ervoor weg?

Het was een ijzig koude avond, twee weken voor Kerst. Ze kon niet lang buiten blijven, zelfs niet met haar handschoenen aan en haar sjaal om, maar Jennifer had er behoefte aan om de sterren te zien en daarom ging ze in de hangmat in de tuin zitten, leunde achterover en keek omhoog. De sterren van de Melkweg waren helder en duidelijk te zien. Jennifer bleef naar de lucht kijken en wachtte tot het gevoel dat ze deel uitmaakte van iets enorms haar hart vulde. Haar beslissing was belangrijk, maar zij zou de loop van het heelal niet veranderen. Ze zou haar leven veranderen en dat van Scott en tot op zekere hoogte het leven van hun familie. Ze kon dit besluiten. Maar wat was de juiste beslissing?

De koude aanraking van de dood was zo dichtbij, zo ongelooflijk intens. Hoe kon ze het risico nemen om weer te trouwen? Een ouder kind gaan verzorgen. Zou ze echt weer moeder kunnen zijn?

Omdat ze wist wat haar te doen stond als ze een beslissing nam, liep Jennifer weer naar binnen, deed haar jas en handschoenen uit en liep vastbesloten langs haar slaapkamer. Ze bleef bij de deur van de kinderkamer staan, haalde diep adem en duwde de deurklink omlaag. Het was heel stil in de kamer en het rook er vaag naar lavendel door het bosje gedroogde bloemen op het ladekastje. Langzaam liep ze naar de plek die ze als het hart van haar huis beschouwde en pakte voorzichtig de kleertjes die ze voor Colleen had gemaakt. Pyjamaatjes, truitjes en piepkleine sokjes. Ze glimlachte terwijl ze het zachte materiaal aanraakte, herinnerde zich met hoeveel liefde ze aan de kleertjes had gewerkt en lachte toen ze zich de naailessen herinnerde die Rachel haar had gegeven en hoe moeilijk het was geweest om haar vingers te laten maken wat ze in haar hoofd had. Ze nam de kleertjes mee, ging in de schommelstoel zitten en streek ze zorgvuldig glad op haar bovenbeen. Ze weigerde haar tranen de vrije loop te laten. Ze had verdriet, diep verdriet. Aan zoveel dromen was een abrupt einde gekomen.

Jennifer vouwde de kleertjes zorgvuldig op, legde haar hoofd tegen de leuning van de stoel en deed haar ogen dicht. Voor het eerst sinds een paar dagen dacht ze terug aan de begrafenissen en stond ze het zichzelf toe te bedenken wat voor ervaringen het waren geweest. De eerste beelden die haar troffen, waren de doodskisten, gelakt eikenhout met diepe, gladde nerven. Ze had om zalmkleurige rozen voor Colleens kistje gevraagd en om donkerrode voor Jerry's kist en de bloemen hadden op het midden van de deksels gelegen als een blijk van hulde aan de herinneringen die ze aan de twee had. Ze voelde en hoorde de muziek, voelde de steun van de mensen die rondom haar stonden, ervoer zo'n grote afstand tussen haarzelf en God. In de afgelopen drie jaar had ze fases meegemaakt van woede en wanhoop – ze had nu een stille vrede met haar God. Maar de smaak van de dood bleef. Ze kon Scott niet op dezelfde manier verliezen. Dat kon ze niet aan. Ze zou het niet overleven.

Het werd tijd om de realiteit te aanvaarden.

De angst had gewonnen.

Scott kleedde zich langzaam aan en nam de tijd om zijn manchetknopen vast te maken, de juiste das te kiezen en zijn schoenen te poetsen. Hij wist dat hij opzettelijk tijd rekte voordat hij vertrok en Jennifer ging ophalen. Hij vond zijn eigen gedrag zelfs vermakelijk, maar deed geen poging zijn bewegingen te versnellen. Hij wist niet wat ze zou beslissen, maar hij was vastbesloten haar antwoord zo waardig mogelijk aan te horen. Hij had óf gewonnen óf voorgoed verloren. En hoe het ook afliep, in zijn hart zou vanavond alleen maar dankbaarheid zijn omdat hij haar had gekend. Hij hield van haar. Hij had haar in de moeilijkste positie van haar leven gebracht door haar te vragen haar angst onder ogen te zien zonder dat hij erbij was om haar te steunen. Hij pakte de roos die Heather voor hem had geplukt om aan Jennifer te geven, een bijzondere roos − zachtroze en wit en volmaakt gevormd.

Wees dapper, Jen. Alsjeblieft, wees dapper.

Het was kerstavond en in de muziek op de radio weerklonk de kersttijd. Scott reed langzaam, voorzichtig, en reed ten slotte haar wijk in, vervolgens haar straat in en ten slotte haar oprit op. Hij parkeerde de auto, pakte voorzichtig de roos om hem tegen de wind te beschermen en liep naar haar voordeur. Ze deed open zodra hij belde en hij glimlachte toen hij haar zag. Ook zij was gekleed voor de kerstavonddienst en droeg een prachtige donkerblauwfluwelen jurk die was afgezet met satijn. Hij kuste haar zacht op haar wang en ze sloeg haar armen om hem heen, maar in haar ogen kon hij niets lezen.

'Kunnen we praten nadat we bij Peter en Rachel zijn

geweest?' vroeg ze zacht en hij dwong zichzelf diep adem te halen. Als ze goed nieuws had, zou ze niet zo aarzelend doen.

'Natuurlijk, Jen,' zei hij rustig, hoewel hij niets liever wilde dan haar stevig in zijn armen nemen en haar nooit meer loslaten. Maar hij had aan haar een rijkdom in zijn leven te danken die hij nergens anders zou vinden; hij zou de avond niet moeilijker voor haar maken dan hij al zou worden. 'Ik heb deze voor je meegebracht,' zei hij en drukte voorzichtig de roos in haar hand.

Ze tilde de roos op om eraan te ruiken en met haar vingertoppen raakte ze de tere blaadjes aan. Ze keek op van de roos met een enorme droefheid in haar bruine ogen, tilde haar hoofd op en kuste hem zacht. 'Dank je,' fluisterde ze.

Toen nam hij haar toch in zijn armen, trok haar tegen zich aan en hield haar alleen maar vast. Ze klemde zich aan hem vast en er verstreken minuten voordat ze een stap naar achteren deed. 'Laat me deze even in het water zetten.'

Hij zag dat ze een krachtbron diep in haar binnenste aansprak, hij hoorde het aan haar stem. Toen ze terugkwam uit de keuken, was de droefheid in haar ogen begraven en was er berusting voor in de plaats gekomen. Ze deed haar jas aan en trok haar handschoenen aan. 'Ik ben zover,' zei ze kalm.

Hij sloot het huis voor haar af, bood haar zijn arm aan voor de gladde oprit en deed het portier van de auto voor haar open. Zwijgend reden ze naar de kerk voor de kerstdienst. Ze wisten dat hun familie van beide kanten aanwezig zou zijn, maar ze besloten stilzwijgend zich daar niet bij aan te sluiten. Ze zaten tijdens de dienst naast elkaar. Scott hield Jennifers hand voortdurend stevig vast en toen de dienst voorbij was, glipten ze snel door de menigte naar buiten. Ze wachtten in de auto tot de parkeerplaats grotendeels leeg was en daarna vroeg Scott Jennifer hoe hij moest rijden.

Het huis van Rachel en Peter was versierd met kerstlichtjes. Sommige hingen in de groene struiken, andere langs het hek van de veranda, en langs de ramen hingen er nog meer. Jennifer haalde diep adem toen ze bij de voordeur stonden. Ze wist dat ze werden verwacht en snel zouden worden opgenomen in de feestelijke gebeurtenissen. Ze wist ook dat ze dringend tijd voor zichzelf nodig had om zich op het gesprek met Scott voor te bereiden.

Peter en Scott gaven elkaar een hand en Rachel en Jennifer omhelsden elkaar. Jennifer hield haar schoonzusje lang vast. 'Gaat het?' fluisterde Rachel, en Jennifer knikte. Rachel bracht Scott en Jennifer naar het tweezitsbankje dat tegenover de kerstboom in de woonkamer stond. Bij de boom lagen de cadeautjes die de kinderen hadden uitgekozen om die avond open te maken. Er was appelcider en kaas en worstjes, crackers en kerstkoekjes. De jongens trokken aan Scott en eisten zijn aandacht op. Hij glimlachte om hen en Jennifer was dankbaar. Ze zou de avond zo graag anders willen laten eindigen. Scott boog zich naar haar toe, legde zijn arm om haar schouders en trok haar naar zich toe. Ze keek verbaasd op en hij streek teder haar haar uit haar gezicht. Ze zag het verdriet in zijn ogen, maar ook een liefde zo groot dat hij nog steeds troost bood. Ze wenste dat zij hem op haar beurt dezelfde troost kon bieden.

Naarmate de avond vorderde, ontspande Jennifer zich meer en ze genoot van de tijd met haar familie. De kinderen hadden ook plezier. Herinneringen aan voorbije kerstavonden met Jerry en haar familie kwamen boven en het waren goede herinneringen.

Scott... ze kon hem toch niet opgeven? Ze hield van hem. Hij had zojuist een suikerkoekje in tweeën gebroken en bood haar de helft aan. Ze was vanavond met een zwaar gemoed gekomen, omdat ze wist dat ze niet het risico kon lopen weer met de dood geconfronteerd te worden en dat ze afscheid moest nemen, maar ze kon het vonnis niet voltrekken. Ze hield van hem. Ze zou een manier moeten vinden om het risico te nemen.

Scott merkte dat er iets was veranderd. Hoop laaide op in zijn hart. Hij hield haar blik vast zonder weg te kijken, legde zijn arm steviger om haar schouders en boog zich voorzichtig naar haar toe en gaf haar een kus.

Ze vertrokken even over tienen. Jennifer keek omhoog toen ze naar de auto liepen; de lucht was onbewolkt en stond vol sterren. Haar hand lag stevig in die van Scott en dat voelde heel goed. 'Waar wil je naartoe?' vroeg hij zacht.

Jennifer keek naar de man die ze liefhad en antwoordde rustig: 'Naar het strand, waar we elkaar voor het eerst ontmoet hebben.'

Er stond geen wind. Het water was kalm en het zand onder hun voeten zakte in als ze eroverheen liepen. Scott had een quilt en een deken uit zijn huis gehaald. Hij legde de quilt op de trap van de steiger en hielp haar te gaan zitten. De deken legde hij om haar schouders. 'Warm genoeg zo?' vroeg hij terwijl hij zijn arm om haar schouders en haar jas legde. Ze glimlachte en schoof wat dichter naar hem toe. 'Ja, prima.'

Ze zweeg een poosje en hield haar aandacht gericht op het water en de lucht vol sterren. 'Ik was eigenlijk van plan om *nee* te zeggen.'

Ze voelde hem verstrakken en hoorde hem diep en beheerst ademhalen. 'En nu?' vroeg hij zacht.

Ze legde haar hoofd op zijn schouder. 'Ik ben doodsbang

om je te verliezen, maar ik zal toch met je trouwen.' Hij lachte om de manier waarop ze haar antwoord onder woorden bracht en omhelsde haar stevig. 'Ik hou te veel van je om afscheid van je te nemen,' zei ze.

Hij tilde met twee handen haar kin op. Zijn aanraking was behoedzaam en zijn ogen liefdevol. 'Jen, je zult er geen spijt van krijgen.' Jennifer legde haar handen om zijn nek en schoof ze langzaam omhoog in zijn zijdeachtige haar. Het werd een lange kus, vol liefde van beide kanten. 'Je bent het beste dat me ooit is overkomen,' fluisterde hij en streelde met zijn handen zacht de angst weg die nog steeds op haar gezicht te lezen stond. 'Ik zal je helpen de angst uit de buurt houden. Je komt er wel overheen, liefje. Liefde zal je helpen.'

'Het idee om oudere kinderen te adopteren... dat klinkt zo gek nog niet,' zei ze met een glimlachje terwijl ze zijn scheve das rechttrok.

'Meen je dat?' Het was heerlijk om zijn glimlach te zien.

'Ik meen het,' bevestigde ze.

Hij legde zijn armen onder haar jas om haar middel en leunde met zijn voorhoofd tegen het hare. 'Hoeveel kinderen wil je?' vroeg hij geïnteresseerd.

Ze glimlachte. 'Twee of drie zou leuk zijn.'

Hij sloeg zijn armen nog steviger om haar heen. 'Dank je wel, Jen.'

Ze kuste hem.

Langzaam landde hij weer met beide benen op de grond. 'Jen, ik vind het vervelend om dit moment te verstoren, maar het is hier koud. Laten we je tas gaan zoeken. Ik wil die ring om je vinger doen.'

Ze lachte. Hij trok haar overeind, pakte de dekens op en nam haar mee naar binnen. Ze vond haar tas, haalde het sieradendoosje eruit en gaf het hem. Hij lachte zacht omdat haar handen plotseling trilden en hield ze in de zijne tot ze rustig werden.

'Belangrijk moment, hè?' vroeg hij om de spanning te breken.

Ze lachte en ontspande zich toen. 'Heel belangrijk,' beaamde ze. Ze schoof de trouwring die ze droeg aan de ringvinger van haar rechterhand en raakte hem aan, vervuld van herinneringen. Hij gaf haar de tijd en dat waardeerde ze. 'Goed,' zei ze zacht.

Scott schoof voorzichtig de verlovingsring om haar vinger, glimlachte en kuste de rug van haar hand. 'Hij staat je mooi.' Ze omhelsde hem en hij sloeg zijn armen om haar heen en hield haar stevig vast. 'Laten we Peter en Rachel bellen. Dan vertellen we het mijn familie morgen.'

Noch Scott noch Jennifer vond het vervelend om de lange rit naar het huis van Scotts ouders te maken. Ze genoten van de tijd samen. Jennifer ging dicht bij Scott zitten terwijl hij reed. Haar hand lag in de zijne.

'Trouw snel met me,' zei Scott door de kerstmuziek heen. Hij keek naar haar en glimlachte. Hij had haar angst goed aangevoeld. Ze had geen tijd nodig om over haar beslissing na te denken. Het maakte niet uit wat zijn vrienden en familie ervan dachten. De bruiloft moest snel plaatsvinden. Toen ze geen antwoord gaf, keek hij weer naar haar. Haar bruine ogen stonden rustig en helder en waren een beetje vochtig. 'Goed of slecht idee?'

'Goed,' fluisterde ze. 'Zullen we ervandoor gaan en in het geheim trouwen?'

Hij lachte. 'Nee. Dat zou mijn moeder me nooit vergeven. Wat dacht je van vier weken? Derde zaterdag in januari?'

Jennifer hoefde er niet over na te denken. 'Goed.'

Scott grinnikte. Hij kon wel vier weken wachten. Misschien.

Zijn familie verwachtte hen al en toen ze de oprit opreden, kwamen Amy en Greg, warm ingepakt met jassen en wanten, naar buiten om hen te begroeten. 'Hallo, oom Scott.' Scott tilde Amy lachend op en kietelde haar. Hij haalde zijn hand door het haar van de jongen.

'Hallo, Greg. Is de lunch al klaar?'

'We zaten op jullie te wachten,' antwoordde Greg.

'Laten we dan maar naar binnen gaan,' stelde hij voor. Hij pakte Jennifers hand toen ze de trap bij de voordeur opliepen en wisselde een heimelijk glimlachje met haar uit.

Zijn moeder was de eerste die de ring zag. Jennifer trok haar jas uit en gaf die aan Scotts vader toen Margarets adem stokte. Onmiddellijk keek ze over Jennifers schouder naar Scott. Hij glimlachte en legde zijn armen om Jennifers schouders.

'Mama, papa, we hebben nieuws.' Meer hoefde hij niet te zeggen. Zijn glimlach sprak boekdelen. Zijn moeder omhelsde Jennifer, die nu lachte en haar tranen wegveegde en zijn vader omhelsde hem. Heather en Frank kwamen ook naar de gang om hen te feliciteren en ook de kinderen waren dolblij en hun ogen straalden van opwinding.

De familie ging aan tafel voor de maaltijd toen Scott achter Jennifers stoel bleef staan, zijn handen op haar schouders legde en de kring van familieleden rondkeek. 'We trouwen de derde zaterdag in januari.' Verbazing, schrik, verwarring, al die emoties zag hij op de gezichten. Hij glimlachte. 'Deze beslissing is voor ons de juiste. Maar we zouden jullie hulp wel kunnen gebruiken. Er moeten nog allerlei details worden uitgewerkt.'

Binnen een uur nadat Scott zijn aankondiging hadden

gedaan, waren Rachel en Peter al uitgenodigd om er een familiefeest van te maken. Scott zat met Jennifer op de bank en keek naar zijn zus en zijn moeder die met Rachel details over bruiloften uitwisselden. Dit voelde goed. Dit voelde volmaakt. Hun families pasten zo goed bij elkaar. Jennifer had de kleur voor de jurken gekozen en besloten hoe het feest zou verlopen; op dit moment spraken ze over de plannen voor de receptie.

Vanwaar hij zat, kon Scott Quigley met een gymschoen zien vechten onder de hoge blauwspar in de gang. De boom was te groot voor de woonkamer en stond daarom naast de trap. De top reikte naar de lichtkoepel. Hij en Jennifer hadden geholpen om hem te versieren en hij had over de trapleuning moeten hangen om bij de hoogste takken te kunnen. De cadeaus waren nu weg en er was een ruimte ontstaan die Quigley als zijn nieuwe huis beschouwde. Hij verstopte zich steeds achter de wollige, roodwitte strook stof die onder de laagste takken hing. Scott zag hoe Tiffany hem ervandaan joeg en probeerde het hondje ervan te overtuigen dat het niet uit de standaard van de boom moest drinken.

Het was een traditie in de wijk om buiten kerstliederen te gaan zingen en toen de schemering inviel, begonnen de volwassenen hun jassen en handschoenen bij elkaar te zoeken. Alle kinderen wilden gaan. De buren zouden warme appelcider en koekjes voor de zangers hebben. 'Mag ik op uw schouders zitten, oom Scott?' vroeg Amy terwijl ze aan zijn hand trok

'Ik blijf hier bij Jennifer,' antwoordde hij. Jennifer zag de teleurstelling op het gezicht van het meisje.

'Ga met ze mee, Scott. Jij hoeft toch niet thuis te blijven omdat ik van een flinke verkoudheid aan het herstellen ben?'

'Volgens mij noemde de dokter het longontsteking,' antwoordde hij fijntjes.

'Mama, gaat u ook niet mee?' Greg keek ook teleurgesteld.

'Mary Elizabeth ligt boven te slapen. Ik moet hier blijven,' zei Heather tegen haar zoon.

Ze waren de enige twee weigeraars. Verder ging iedereen. 'Luister, gaan jullie maar met de twee kinderen mee. Ik kan wel op Mary Elizabeth passen. Ze slaapt nog maar een halfuur. Ze zal niet eens weten dat jullie weg zijn geweest,' zei Jennifer vastbesloten. Ze merkte dat dit een oude traditie was en wist hoe leuk het was om buiten te gaan zingen.

'Weet je het zeker, Jen?' vroeg Heather.

'Heel zeker.'

Ze keek naar Scott. Hij haalde met tegenzin zijn arm van haar schouders, bukte zich en gaf haar een kus. 'Ik hoopte dat we een halfuurtje samen zouden hebben,' fluisterde hij en ze lachte.

Ze zwaaide iedereen uit en keek hoe de gezinnen naar de buren liepen, die ook al buiten waren om te gaan zingen. Ze deed lachend de deur dicht toen Quigley naar buiten probeerde te glippen. 'Jij niet, vriend. Jij mag mij gezelschap houden. Tiffany komt over een uurtje weer terug.'

Het was stil in huis nu iedereen weg was. De lichtjes van de enorme kerstboom glinsterden en het groen geurde heerlijk. Het was zo'n fantastische dag geweest.

Jennifer liep naar de babyfoon om zich ervan te overtuigen dat het volume voluit stond. Ze ging op de bank zitten en trok aan een oude lap die iemand Quigley had gegeven en die hij nu tussen zijn tanden hield. Ze stoeiden tien minuten en daarna liet Jennifer hem weer rondrennen. Hij zou bekaf zijn als ze naar huis gingen. Glimlachend pakte ze de borden en de glazen van de tafels. Ze bracht ze naar de keuken en zette ze in de afwasmachine.

Twintig minuten en ze had nog niets van Mary Elizabeth gehoord. Jen wist waaruit haar wens om bij de baby te gaan kijken voortkwam, maar ging toch. Ze liep met Quigley op haar hielen de trap op en duwde zachtjes de deur van de logeerkamer open, waar Margaret een ledikantje had staan. De baby lag vredig te slapen. Jen keek hoe ze ademhaalde en stak heel voorzichtig haar hand uit om het zachte babyhandje aan te raken. Ze was zo mooi. Zo groot. Zo gezond. Jennifer keek naar haar, glimlachte en liep toen zacht de kamer uit.

De kinderen zouden het koud hebben als ze terugkwamen. Jennifer zag dat Margaret alle ingrediënten voor warme chocolademelk al had klaargezet. Ze las haar recept en ging aan de slag. Ze proefde het drankje terwijl ze het opwarmde en wist dat ze het recept moest overschrijven. Er zat een snufje Hollandse cacao in en het smaakte heerlijk.

Quigley jankte en Jennifer keek op om te zien waar het geluid vandaan kwam, maar ze hoorde niets meer. Omdat ze het vreemd vond dat hij niet naar de keuken terug kwam rennen nadat hij weer door een vlok stof was verrast, draaide ze zorgvuldig het vuur laag onder de grote pan waarin ze de chocolademelk aan het opwarmen was en legde de lepel neer. 'Quigley? Waar zit je, jongen?'

Jennifer liep door de woonkamer en verwachtte dat hij vast zou zitten onder een van de banken. Vanuit haar ooghoeken zag ze flakkerend, oranje licht. Ze draaide zich om en verstarde. Vlammen laaiden op aan de achterkant van de kerstboom. Dikke rookwolken begonnen het trapgat te vullen. De rookmelder ging juist af op het moment dat het tot haar doordrong wat er aan de hand was. De boom was groot en dor en de vlammen grepen snel om zich heen.

De baby. Quigley, die onder de boom moest zitten, zou zichzelf moeten zien te redden. Ze had geen tijd om hulp te roepen. Er was maar een trap naar boven en die zou ze al snel niet meer kunnen gebruiken. Jen hield handen voor haar neus en haar mond en baande zich door de rook een weg naar boven. Toen ze op de gang boven kwam, begon ook daar de rook zich al te verzamelen en op te stijgen naar de lichtkoepel.

Mary Elizabeth huilde om het doordringende geluid van de rookmelder. Jennifer tilde de baby met dekentjes en al op en probeerde te voorkomen dat ze het kind in haar angst te stijf zou vasthouden. Ze bedekte het gezichtje van de baby losjes met de rand van een van de dekentjes. Ze zou niet nog een baby verliezen. Ze zou de dood in zijn gezicht klauwen eer ze dat liet gebeuren. De gang vulde zich met rook toen ze de logeerkamer uitliep en ze hield haar hoofd gebogen. Tot haar opluchting hoorde ze nu Quigley ergens beneden in paniek blaffen. Ze was dol op die pup.

'Hou je taai, Mary Elizabeth. Het is tijd om te gaan kijken hoe onze uitgang eruit ziet,' zei Jennifer tegen het kind. Ze bleef gebukt lopen om te voorkomen dat de baby de rook zou inademen. Jen voelde die al in haar ogen prikken en haar kwetsbare longen binnendringen. Ze liep de hoek om en voelde de intense hitte die haar tegemoet sloeg. De blauwspar stond in lichterlaaie. De randen van het tapijt op de trap stonden in brand en de rook was zo dicht dat ze de onderste treden niet kon zien.

Jen vluchtte weg van de hoek en de hitte, en begon te hoesten door de rook.

Ze kon deze verdieping alleen nog maar via een raam verlaten. De rook zou hen de das om doen. Als Mary Elizabeth die giftige rook maar een paar keer inademde, zou ze het al niet overleven. Jennifer kon haar niet van de tweede verdieping omlaag gooien. Ze wist dat haar mogelijkheden beperkt waren en rende naar het dichtstbijzijnde raam. Er liep geen mens op straat. Ze griste een deken van het voeteneinde van het bed en rende ermee naar de badkamer. Onder de douche was hij in een paar seconden doorweekt. Jennifer verspilde geen tijd door de kraan dicht te draaien. Ze hoorde glas breken. Het vuur was door de lichtkoepel gebarsten.

De vlammen kregen nu zuurstof en terwijl de lucht het vuur voedde, gaf dat Jennifer in feite een lange pauze. De rook steeg op, doordat de lichtkoepel in een grote schoorsteen was veranderd. Voor het eerst kon ze de hele trap bekijken. Hij was nergens ingestort, de buitenmuur stond nog niet in brand en het tapijt bleek gelukkig aardig bestand tegen de neervallende vonken. Het smolt alleen maar, besefte Jennifer. Het brandde niet.

'Mary Elizabeth, ik hou van je,' snikte Jen en kuste de baby die nog steeds huilde. 'Hou alsjeblieft je adem in.' Ze moest de voordeur halen.

Ze wilde wel rennen, maar kon niet meer doen dan zich haasten, omdat ze de trap moest nemen met een snelheid die voorkwam dat ze struikelde. Ze hield de baby vast in de doorweekte deken en liep naar de buitenmuur. De verzengende hitte rechts van haar drong dwars door de natte deken heen en sloeg haar bijna tegen de grond toen ze probeerde langs de brandende boom heen te glippen. Ze was halverwege de trap en zag de voordeur vlakbij en toch nog zoveel passen van haar verwijderd. Haar longen stopten met ademen. De combinatie van de rook en de naweeën van de longontsteking werden haar te veel. Quigley was beneden door het dolle heen en probeerde haar te bereiken.

Mary Elizabeth zou onder haar hoede sterven. *O, God, nee. Niet nog een keer.* De tranen stroomden over haar wangen en ze stikte bijna. Kermend van pijn en snakkend naar adem stapte ze de laatste trede af met haar armen beschermend om Mary Elizabeth heen.

God, help me, alstublieft.

Ze haalde de voordeur niet.

'Kijk, oom Scott. Rook!' Amy trok aan zijn haar om zijn aandacht te krijgen. Ze zat op zijn schouders en keek om zich heen. Ze had zijn hoofd in de richting van de rook getrokken en hij kreeg die onmiddellijk in het oog.

Het meisje liet zich van zijn schouders vallen. 'Papa, dat is oma's huis!'

Het groepje dat kerstliederen stond te zingen, telde vijftien volwassen, allemaal buren van elkaar. Ze stonden in een straat even ten westen van het huis en zagen de rookwolken uit de lichtkoepel komen.

'Mary Elizabeth!' gilde Heather.

Frank, Scott en Peter vlogen de straat uit, dwars door bloembedden en struiken heen. De vlammen sloegen nu uit de lichtkoepel. Er was geen teken van Jennifer en de baby. Het vuur bevond zich in het ongunstigste gedeelte van het huis. Het blokkeerde de trap, de gang en alle uitgangen. Scott bereikte de voordeur het eerste. Hij brandde zijn hand aan het hete metaal en realiseerde zich toen dat iemand de deur op slot had gedraaid toen ze waren vertrokken. Frank rende naar de achterkant van het huis.

Peter brak het raam van de woonkamer.

Als Jen boven was met de baby… Scott dwong zichzelf er niet aan te denken. Ze zouden hen nooit op tijd bereiken.

Het slaapkamerraam boven hem knapte en er daalde een regen van scherven op hen neer.

Scott volgde Peter door het raam van de woonkamer. De dichte rook sloeg direct op zijn longen. 'Daar!' Peter moest schreeuwen om zich boven het oorverdovende gebulder van het vuur uit verstaanbaar te maken. Het was haar gelukt langs de brandende boom heen te komen en ze lag zo dicht bij de voordeur dat ze hem zou kunnen aanraken. Het behang en de gang stonden in lichterlaaie, de trap was weg en de brandende boom dreigde in hun richting te vallen.

Peter trok als een bezetene het brandende tapijt van de hal bij haar gezicht vandaan. 'Neem ze mee naar buiten!'

Scott liet zich op zijn knieën vallen en dook op haar af. Hij voelde de hitte die hem levend probeerde te verbranden.

'Mary Elizabeth!'

'Hier,' schreeuwde Scott naar Frank. Jennifers lichaam lag beschermend om de baby heen.

Scott greep de twee vast en rukte ze bij de hellende boom vandaan. Nog steeds op zijn knieën gaf hij de huilende pasgeborene aan haar vader. Haar kreetjes klonken hem als muziek in de oren.

De doorweekte deken had voorkomen dat Jens haar verbrandde, maar ze verroerde zich niet en ademde niet. 'Pak haar!' schreeuwde Scott en tilde haar naar het raam. Peter klom erdoorheen en nam haar van hem over, waarna Scott ook naar buiten sprong.

Peter had haar op de oprit gelegd, de deken van haar afgetrokken en de vonken op haar kleren uitgeslagen, maar het lukte hem niet lucht in haar longen te krijgen. Haar bloed, dat geen zuurstof meer bevatte, gaf haar huid een blauwe kleur. Er was genoeg medische kennis aanwezig om een traumaslachtoffer te behandelen, maar niemand kon de doden tot leven wekken.

Scott ging naast haar op het koude beton zitten. Hij hield haar hand vast en keek naar zijn zus die een hartmassage uitvoerde en naar Peter die probeerde haar te laten ademen, en hij begon geluidloos te huilen.

15

'Hallo, liefste.' *Ze zou die blauwe ogen uit duizenden herkennen.*
Jennifer stak haar armen uit en Jerry gaf haar de baby, die kraaide
en lachte en vrolijk met haar armpjes zwaaide. Colleen was niet
gegroeid, maar haar oogjes stonden helder en haar lijfje was sterk.
Ze lachte en flirtte met haar moeder, blies spuugbelletjes naar haar
en probeerde haar lange haar te pakken om eraan te trekken.
Jennifer glimlachte en bood haar in plaats daarvan haar ketting aan.

Er was nu vuur in de droom, vuur tussen haar en haar man, haar
kind. En toen waren ze weg.

Mary Elizabeth. Nee!

God, ik kan dit niet. Niet weer een kind.

'Jennifer!' Ze hoorde een krachtige stem, die dwingend
haar aandacht vroeg. 'Je moet blijven vechten! Mary
Elizabeth maakt het prima. Ze is thuis. Hoor je me? Waag
het niet om het op te geven!'

Ze vocht niet voor haar leven. Dat vond Scott het moeilijkste te begrijpen. Ze lag nu vijf dagen aan het beademingsapparaat en haar toestand werd langzaam slechter.
Maar toch meende hij het wel te begrijpen. Ze was met een
baby in haar armen in een brandend huis in elkaar gezakt.
Haar laatste bewuste gedachte moest zijn geweest dat Mary
Elizabeth zou sterven, omdat het haar niet lukte bij de deur
te komen. Jennifer zou daar niet mee kunnen leven. Keer op

keer vertelde hij haar dat het goed ging met Mary Elizabeth. Ze hoorde hem, want haar hand bewoog als hij tegen haar praatte, maar het ging alleen maar steeds slechter met haar. *Alsjeblieft, Jen, doe dit niet. Ga niet weg.* Het leek wel of ze hem niet geloofde. Hij werd er gek van.

'Jen, ik heb Rachel vanochtend gevraagd de kerk te reserveren en mama verstuurt de uitnodigingen voor de bruiloft. Je hebt nog drieëntwintig dagen voor onze grote dag, dus ik stel voor dat je probeert je tegen dit beademingsapparaat te verzetten. Ik kan die passieve houding van je niet waarderen.'

Als de ene tactiek niet werkte, werd het tijd om een volgende te proberen. Scott zag haar hand bewegen, wist dat ze hem kon horen. Ze had hem de afgelopen vijf dagen steeds gehoord, maar had niet willen vechten om weer bij bewustzijn te komen. Haar brandwonden moesten pijnlijk zijn. Op haar rechterhand en rechterarm zaten blaren. Maar het waren allemaal eerstegraads verbrandingen en ze zouden slechts oppervlakkige littekens achterlaten. Dat vertelde hij haar, maar niets kreeg haar zover dat ze ging vechten.

Haar hand maakte een krampachtige beweging en draaide ditmaal een beetje.

'Je moet je ogen opendoen, Jen. Je mag niet meer slapen. Doe je ogen open,' droeg hij haar op.

Ze deed het. Ze keek geërgerd en deed ze weer dicht, maar ze had ze opengedaan.

Scott lachte door zijn tranen heen. 'O, nee, niks ervan. Kom terug. Doe je ogen open.' Ze deed ze weer open en keek naar hem terwijl ze knipperde. Het was moeilijk om een glimlach te zien achter het beademingsapparaat, maar haar ogen werden zachter. Hij kuste haar behoedzaam op haar voorhoofd. 'Mary Elizabeth maakt het prima. Je hebt het goed gedaan, Jen. Je hebt het goed gedaan.'

16

Jennifer werd vroeg wakker op zaterdagochtend, de ochtend van haar trouwdag. Het was stil en rustig in huis, maar dat zou het komende uur veranderen als Rachel en Beth kwamen. Jennifer luisterde naar de vredige stilte. Haar laatste ochtend in dit huis. Ze glimlachte. Ze zou het missen. Ze overwoog haar hoofd onder haar kussen te stoppen en het volgende uur voorbij te laten kabbelen, maar ze wist dat ze zich die luxe eigenlijk niet kon permitteren. Ze boog haar stijve rechterhand en voelde de huid van haar vingers, die nog steeds strak was, zelfs nu de blaren genezen waren. De stugheid van haar huid en de inhalator die ze tweemaal per dag gebruikte, waren de enige overgebleven tekenen van de brand. De artsen hadden gezegd dat ook die over een maand verdwenen zouden zijn. Na tien dagen in het ziekenhuis was ze zover geweest dat ze naar huis kon. Ze stond op, rekte zich uit, trok haar ochtendjas aan en liep door het huis naar de keuken om koffie te zetten. Alle spanning was uit haar lichaam verdwenen en dat gaf haar het gevoel dat ze een nieuw mens was. Drie jaar lang was angst haar metgezel geweest en nu was die weg. Ze voelde zich fantastisch. Vredig.

Het huis van Scotts ouders was volledig verwoest, maar ze schenen dat zonder al te veel wanhoop te verwerken.

Jennifer was er niet terug geweest. Ze wilde het uitgebrande karkas niet zien en de slopers waren tien dagen na de brand gekomen. Vooral Margaret had haar verlies kalm opgenomen. Het waren mensen die weinig waarde hechtten aan materiële zaken en als ze die kwijtraakten, sloeg het hen niet uit het lood. De fotoalbums waren die dag bij Heather geweest en een aantal van hun meest geliefde spulletjes waren uit de grote slaapkamer gered. Dat was het enige wat Margaret onvervangbaar achtte. Ze logeerden bij vrienden in de buurt en waren van plan in het voorjaar een nieuw huis te laten bouwen. Scott had hun zijn huis aangeboden en Jennifer had erop aangedrongen dat ze het aanbod zouden aannemen omdat er ruimte genoeg was, maar ze hadden het afgeslagen. Ze waren al dertig jaar met Olivia en Jack bevriend en hun kinderen waren de deur uit. Margaret en Larry vonden het prettiger om bij hen in te trekken, zodat ze lopend naar het bouwterrein konden om daar een oogje in het zeil te houden.

Jennifer dronk haar koffie staand en keek uit over de tuin voor het huis, die nu wit was door de sneeuw die vannacht was gevallen. Voor de bruiloft hadden ze kleuren gekozen die bij de winter pasten. De jurken van Beth en Rachel waren donkergroen, de smokings van Scott en Brad zwart met donkerrode accessoires; kerststerren zouden de boventoon voeren in de decoraties in de kerk. Heather was natuurlijk degene die ervoor zou zorgen dat de bloemen spectaculair waren. Er zouden gasten zijn. Ruim honderd hadden er al laten weten dat ze zouden komen en Heathers vriendin Tracy zou de muziek verzorgen. Jennifer wist dat haar jurk tegen zo'n achtergrond fantastisch zou uitkomen. Ze had een lange sleep van de hand gewezen en had gekozen voor eenvoud, voor een klassieke, witzijden japon.

243

Scott had de plannen voor de huwelijksreis gemaakt en had haar geen enkele hint gegeven waar ze naartoe zouden gaan. Hij had haar alleen laten weten dat ze een week weg zouden blijven. Zelfs uit de kleren die ze op zijn advies had ingepakt, kon ze niets opmaken. Ze liep met een beker verse koffie door het huis. Ze moest nog cadeaus inpakken. Jennifer glimlachte bij de gedachte. De cadeaus voor het huwelijksfeest had ze al ingepakt. De geschenken die nog niet waren ingepakt, waren voor Scott.

Het was maar een kleinigheid dat ze hem zou laten kiezen wat ze 's avonds zou dragen, maar toch was het een belangrijk cadeau. Een aantal van de dozen die ze inpakte, zouden dat geschenk mogelijk maken. De andere cadeaus waren eenvoudige dingen, die zouden dienen als herinnering voor hen beiden – een boek met de handtekening van de auteur, die Ann voor haar had geregeld, een trui die ze voor hem had gevonden, een gegraveerd horloge. Het waren kleine geschenken, maar ze zouden een aandenken worden en daar ging het om.

De cadeaus waren ingepakt en Jennifer legde net de laatste hand aan haar koffer toen Rachel en Beth arriveerden. Haar vriendin en haar schoonzusje hadden het ontbijt bij zich en Jennifer glimlachte om hun opwinding. Ze ging met hen aan de keukentafel zitten, at een frambozenkoek en luisterde naar hen, terwijl de twee de details van de dag doornamen. Jennifer gaf zich over aan vaardige handen – haar haar werd geborsteld tot het zijdezacht was, haar make-up werd professioneel aangebracht. Toen ze bij de kerk arriveerden, lagen haar jurk en sluier klaar in de kleedkamer, een ruimte die gevuld was met een overvloed aan bloemen die Scott had gestuurd.

Ze kleedde zich rustig aan en glimlachte om de opwinding rondom haar. Margaret zou een fantastische schoonmoeder worden. Ze had het bruidsboeket voor Jennifer meegebracht. De kinderen liepen de kleedkamer in en uit. Tiffany en Amy zouden bloemen de kerk binnendragen en alle jongens, Greg, Tom en Alexander, zouden Scott bijstaan. Jennifer wist dat ze bij de receptie een groot deel van Scotts bredere familiekring zou ontmoeten en ze haalde diep adem toen ze vergezeld van Rachel en Beth de kleedkamer verliet. 'Ze zijn de familie plaatsen aan het geven,' vertelde Peter, die bovenaan de trap bij haar kwam staan. Hij glimlachte naar zijn vrouw. 'Nog twee minuten,' zei hij tegen hen. 'Ben je nerveus?' vroeg hij terwijl hij Jennifer zijn arm aanbood. Hij zou haar weggeven.

'Als ik eenmaal voor in de kerk sta, gaat het wel,' antwoordde ze. 'Zit de kerk vol?'

'Ja,' vertelde Peter. 'Scott lijkt kalm, maar achter zijn rustige uiterlijk verbergt hij een bloednerveuze man. Hij liep net te ijsberen toen hij dacht dat hij alleen was.'

De deuren naar de kerkzaal gingen open en de muziek begon. Het was tijd. De meisjes liepen eerst naar binnen, gevolgd door Beth en Rachel. Daarna gaf Peter Jennifer een kneepje in haar hand en liep ze aan de arm van haar broer de kerk binnen. De bloemen in de zaal waren een lust voor het oog en zorgden voor een overdaad aan geuren en kleuren. Heather had zichzelf overtroffen. Ze zag Scott voor in de kerk staan met Brad aan zijn zijde. Hij zag er zo waardig uit: lang, sterk en vol zelfvertrouwen. Toen ze zijn blik opving, glimlachte hij en zag ze dat hij zich begon te ontspannen. Ze glimlachte terug.

Toen ze het einde van het gangpad bereikte, pakte hij haar hand en Jennifer ontspande zich ten slotte naast de man bij wie ze zich veilig en beschermd voelde. Zijn greep was stevig en sterk en vertrouwenwekkend.

Ze luisterde naar de dienst en toen het moment kwam om de trouwbelofte af te leggen, legde ze haar beide handen in die van Scott. Ze keek hem aan en haar ogen straalden voldoende liefde voor een heel leven uit.

'Jennifer St. James, neem je Scott Williams tot je wettige echtgenoot en wil je hem trouw zijn en liefhebben in rijkdom en armoede, in ziekte en gezondheid tot de dood jullie scheidt?'

'Ja,' antwoordde ze glimlachend naar de man die haar echtgenoot zou worden.

'En jij, Scott Williams, neem je Jennifer St. James tot je wettige echtgenote en wil je haar trouw zijn en liefhebben in rijkdom en armoede, in ziekte en gezondheid tot de dood jullie scheidt?'

'Ja,' antwoordde Scott vol overtuiging en met een glimlach naar Jennifer.

Ze gaf hem een zacht kneepje in zijn handen.

Brad gaf Scott Jennifers trouwring en Scott gaf haar een handkus voordat hij hem om haar vinger schoof. Jennifer nam Scotts ring van Rachel aan. Haar handen trilden toen ze hem om zijn vinger schoof. Het ergerde haar, maar hij glimlachte weer en fluisterde zacht: 'Ik hou van je' terwijl ze zich weer naar de voorkant van de kerk wendden. Ze keek naar hem op en glimlachte. 'Heeft Peter je verteld dat ik tijdens mijn eerste bruiloft bijna ben flauwgevallen?' fluisterde ze.

'En dat vertel je me nu pas,' fluisterde Scott geamuseerd terug. 'Geen wonder dat Brad zei dat hij reukzout in zijn zak had. Ik dacht dat dat voor mij bedoeld was.' Hij hield nog steeds haar hand vast, vastbesloten hem niet meer los te laten nu de dienst ten einde liep. Ze staken de grote kaars op de tafel aan en vierden samen het Avondmaal. Toen gaf Rachel Jennifer haar boeket terug en richtte de dominee zich tot de gemeente. 'Dames en heren, mag ik u voorstellen? Meneer en mevrouw Williams.' En met een glimlach liet hij erop volgen: 'Scott, je mag nu de bruid kussen.'

Scott nam de tijd, wat Jennifer amuseerde. Ze wachtte geduldig tot hij haar korte sluier had teruggeslagen, met zijn linkerhand de hare had gepakt, voorzichtig met zijn rechterhand haar kin had opgetild en haar zijn eerste kus als echtgenoot had gegeven. Hij glimlachte een brede, tevreden glimlach, die ze beantwoordde.

Ze liepen hand in hand het gangpad door en Jennifer liet met een gerust hart de details aan Scott over.

'Gaat het?' Scott boog zich naar haar toe om de vraag te stellen. Hij maakte gebruik van een kleine pauze in de stroom van bezoekers voor de receptie.

'Ja,' zei Jennifer tegen haar echtgenoot. 'Mijn vingers hebben het zwaar te verduren met al dat handen schudden, maar ik red het wel.'

'Pijn?'

Hij zou erop staan dat ze rust nam als ze ook maar enigszins liet doorschemeren dat ze pijn had. 'Nee, alleen vervelend stijf.'

'Betekent dat dat je van me verliest als we een potje zouden poolen?' vroeg hij met een grijns.

'Daar zou ik maar niet op rekenen,' antwoordde ze.

Jennifer genoot van de receptie en mengde zich onder Scotts familie. Haar man week niet ver van haar zijde. Hij was een opvallend knappe verschijning in zijn smoking en ze vond het heerlijk om naar hem te kijken. Dat leek wederzijds, want hij liet haar vaker blozen dan ze zich de afgelopen maanden herinneren kon. Iedereen vroeg haar naar de brand en ze merkte dat ze zo min mogelijk details vertelde. Heather, die Jen tegenwoordig niet minder dan een engel beschouwde, gaf haar een vrolijke Mary Elizabeth om mee te flirten voor de foto's die iedereen wilde maken.

Scott nam haar mee naar de achterkant van de zaal. 'Laten we hem stiekem smeren en ons gaan verkleden. Als ze passen, trek dan de kleren aan die ik Rachel in de kleedkamer voor je heb laten klaarleggen. Ik zie je in de hal.'

'Dan missen we de rijst.'

'Dat laten Tiffany en Greg niet gebeuren, maar we kunnen het proberen,' antwoordde hij grinnikend. Hij kuste haar op haar hoofd bovenaan de trap, waar ze ieder een andere kant op moesten. 'Schiet maar gauw op.'

Rachel hielp Jennifer voorzichtig uit haar jurk en ze schoten allebei in de lach toen ze Scotts cadeau zagen. Hij had een spijkerbroek gestuurd, sokken met huwelijksklokken erop en nieuwe sportschoenen. Het was de sweater die hen aan het lachen maakte. Hij was wit en voorop stond een hart met 'Scott houdt van Jennifer' en achterop een hart met 'Jennifer houdt van Scott'. Eronder stonden de handtekeningen van alle kinderen, die het ontwerp hadden gemaakt.

Jennifer zag Scott weer bovenaan de trap. Hij had een spijkerbroek aangetrokken en een trui van zijn bedrijf. Hij grijnsde en sloeg zijn armen om haar heen. 'Bedankt dat je hem hebt aangetrokken.'

'Doe niet zo gek. Ik vind hem prachtig!'

'Brad heeft de auto voorgereden. Hij is helemaal in stijl versierd, hoewel het me is gelukt om te voorkomen dat de kinderen blikken aan de bumper bonden. Onze vrienden staan twee rijen dik om rijst te strooien.'

'Je vindt dit prachtig.'

Hij grijnsde. 'Natuurlijk. Nu het formele gedeelte voorbij is, wordt het tijd om lol te maken.'

Ze lachte en liet zich door hem mee naar buiten trekken. 'Klaar voor een sprintje?' vroeg hij.

Zodra ze naar buiten stapten, begonnen hun familie en vrienden lachend met rijst te gooien en ze haastten zich door de rijstregen naar de auto. Scott liep om de auto heen naar Jennifers portier en zorgde dat ze veilig kon instappen. Ze moest een paar ballonnen uit de auto slaan voordat ze kon gaan zitten. Scott liep weer naar zijn eigen kant en lachte om de woorden *Pas getrouwd*, die op het raam stonden. Brad gaf hem de sleutels. 'De tank zit vol, er ligt frisdrank in de koelbox en ik heb gecontroleerd of al jullie bagage er nog in ligt.'

'Bedankt, kerel,' zei Scott met een grijns.

Scott pakte zijn zonnebril, zette hem op, keek naar zijn kersverse echtgenote en glimlachte. 'Ben je er klaar voor?'

Ze lachte en probeerde de rijst uit haar haar te krijgen. 'Jazeker.'

Ze hield in de gaten welke route Scott nam tot hij de grote weg op draaide. Ze ging achterover in haar stoel zitten en maakte het zich gemakkelijk. De spanning was achter de rug en ze bewaarde de rest van haar energie voor de avond. Het was al een heel lange dag geweest. Met een zucht sloot ze haar ogen.

'Je was mooi vandaag.'

Ze draaide haar hoofd om en glimlachte. 'Jij was elegant in je smoking.'

'Vond je?'

'Beslist. Wil je me vertellen waar we naartoe gaan?'

'Ik dacht dat we wel wat ongestoorde tijd samen konden gebruiken. We lenen de komende week het huis van vrienden van me. Het staat op het platteland, heel afgelegen. In de kelder staat een pooltafel, dus kunnen we een paar vriendschappelijke potjes doen. We kunnen er paardrijden en langlaufen als we sneeuw krijgen. Ik dacht dat je daar in de stilte ook wel graag aan je boek zou willen werken. Rachel heeft alles op mijn laptop gezet en je aantekeningen zitten in de aktetas.'

Ze boog zich naar hem toe en omhelsde hem. 'Dankjewel.'

'Graag gedaan.' Hij wees naar de kaart op zijn schoot. 'Het is vier uur rijden, dus het is laat als we aankomen. Waarom ga je niet lekker achterover zitten? Probeer maar een dutje te doen. Op de achterbank moeten een paar kussens liggen, met de complimenten van Trish.'

Jennifer vond ze. 'Dank je, Trish.' Ze stapelde ze tegen het portier op elkaar en maakte het zich gemakkelijk.

Toen Scott even later opzij keek, zag hij dat Jennifer in slaap was gevallen. Haar handen lagen ontspannen op haar schoot. Ze haalde zacht en gelijkmatig adem, haar hoofd lag tegen de afgesloten zijdeur en de veiligheidsgordel hield haar op haar plaats. Hij glimlachte. Zijn vrouw.

Dank U, God. Ik ben U wel iets verschuldigd.

Haar ogen waren zo kristalhelder geweest sinds de dag dat ze wakker was geworden. Geen angst meer, geen spanning. Ze was weer de Jennifer die hij op foto's van jaren geleden had gezien. Ze had hem niet verteld waarom de angst weg was en hij had besloten haar niet uit te horen. Ze zou het hem wel vertellen als ze er klaar voor was.

De zon ging een uur later met schitterende kleuren onder. Scott overwoog Jennifer wakker te maken om het te zien, maar hij besloot het niet te doen. Ze sliep zo vredig. Ze werd zo'n twintig minuten voordat ze aankwamen wakker, strekte haar armen en ging ontspannen achterover zitten.

Het was een prachtig huis. Scott leidde Jennifer naar de voordeur en droeg haar met een glimlach over de drempel.

Toen hij in de keuken kwam nadat hij de bagage naar boven had gebracht, trof hij Jennifer daar aan. 'Ze hebben een lief briefje achtergelaten,' zei Jennifer en wees naar het aanrecht. 'Ze hebben ook een maaltijd klaargezet. Er is Italiaans rundvlees en een heerlijke kaasdip en alles wat we nodig hebben voor een salade. Heb je trek?'

'Enorm. Ik kan me de lunch niet eens meer herinneren.'

Jennifer glimlachte. 'Kijk maar eens of je de borden kunt vinden. Dan begin ik aan de salade.'

Na het eten deden ze vier potjes pool en bewees Jennifer overtuigend dat haar stijve hand geen invloed had op haar spel. Nadat ze de achtbal had gepot en haar man voor de vierde keer flink had ingemaakt, kon Jennifer het niet laten te giechelen toen hij haar vloerde en haar vervolgens van de grond tilde. 'Je bent dodelijk bij dit spel. Het wordt tijd dat we iets anders gaan doen.'

Ze sloeg haar armen om zijn nek. 'Wat had je in gedachten?'

Hij gaf haar kusjes langs haar kaaklijn en vond toen haar mond. 'Laten we naar bed gaan.' Zijn schorre verzoek leverde hem een blos, een intieme glimlach en een knikje op. 'Dat idee bevalt me wel.' Ze overwoog haar cadeaus te noemen, maar besloot het niet te doen toen haar handen hun weg vonden onder zijn trui terwijl hij haar naar boven droeg. De dingen die gepland waren voor die nacht, zouden zich spontaan ontvouwen. Ze streelde zijn borst toen ze de gang op de bovenverdieping bereikten en ze zag zijn ogen donker worden van hartstocht. Ze glimlachte en liet haar hand omlaag glijden. 'Jen, je zult je nog een halve minuut moeten gedragen, want anders laat ik je op je achterste vallen,' waarschuwde hij haar. Ze grinnikte en kuste zijn kaak. Ze had het gemist om getrouwd te zijn.

'Aan welke kant van het bed wil je liggen?' vroeg hij toen hij haar de logeerkamer binnendroeg.

'Aan de jouwe,' antwoordde ze glimlachend.

Hij vroeg om een kus toen hij haar voorzichtig op het bed liet zakken. 'Ik hou van je,' fluisterde hij.

Ze sloeg haar armen om zijn nek. 'Ik hou meer van jou,' zei ze.

Hij lachte toen ze hem omlaag trok.

Jennifer werd even voor zonsopgang wakker. Ze lag veilig in Scotts armen met haar hoofd op zijn schouder. Ze bewoog zich om de bloedsomloop in haar linkerhand weer op gang te krijgen en voelde hoe zijn armen zich spanden.

'Hé, je bent wakker,' fluisterde hij slaperig, gewekt door haar bewegingen.

Ze kuste zijn kaak. 'Ik zei toch tegen je dat ik jouw kant van het bed het lekkerste vind,' mompelde ze.

Hoewel hij nog half sliep, glimlachte hij om haar opmerking. 'Je mag er elke nacht liggen. Ik slaap graag met jou,' antwoordde hij en genoot ervan om wakker te worden met zijn vrouw, in plaats van alleen. Ze grinnikte om de plek waar zijn handen naartoe gingen en boog zich naar hem toe om hem te kussen. 'Dat is wederzijds.'

Epiloog

'Denk je dat er iets is gebeurd? Hij is te laat.'

'Twintig minuten,' antwoordde Scott. Hij legde zijn arm om Jennifers schouders terwijl ze uit het raam aan de voorkant van het huis keken.

'De eerste keer dat hij 's avonds alleen met de auto op stap is. Weet je wel zeker dat hij hieraan toe was?'

Scott glimlachte. 'Hij redt zich wel. En er zal wel een goede reden zijn waarom hij te laat is. Hij heeft zich voorbeeldig gedragen sinds we hem de mogelijkheid van een auto hebben voorgehouden. Hij heeft er maanden aan gewerkt om dat voorrecht te veroveren, dus zal hij heus niet zo stom zijn om het de eerste de beste avond dat hij de sleutels heeft, te verspelen. Laten we maar afwachten wat hij zegt.'

'Ach, ik ben gewoon bezorgd over hem.'

'Natuurlijk, je bent toch zijn moeder?' antwoordde Scott en bukte zich om haar een kus te geven.

Ze leunde achterover tegen zijn arm. 'Hoe is het met de andere twee? Slapen die?'

'Dat hoop ik,' antwoordde Scott, die degene was geweest die drijfnat was geworden door de tweeling van drie in bad te doen. Niet dat hij dat erg vond. De meisjes leken allebei op hun moeder en waren dol op flirten. 'Kay wilde dat

Quigley op hun kamer zou slapen en April smeekte me bijna om ja te zeggen, dus heb ik dat beest maar op het kleedje laten liggen.'

Jennifer grinnikte. 'Wat heeft April gedaan? Heeft ze je met die wimpers van haar bewerkt?'

Scott lachte. 'Ze denkt dat het helpt en wie ben ik om haar op een ander idee te brengen? Aan April kan ik makkelijker weerstand bieden dan aan Kay. Kay heeft zo'n papaglimlachje.' Hij ging achter haar staan en pakte haar handen. 'Kom, ouders horen niet voor het raam op hun kinderen te wachten. Dat moet je met een beetje stijl doen. Laten we op de bank gaan zitten.' Jennifer liet zich met tegenzin bij het raam vandaan halen. Hun geadopteerde zoon Paul had net zijn rijbewijs en het viel niet mee hem los te laten, het feit te accepteren dat hij volwassen werd en over een paar weken zeventien zou worden. Hij was nu vijf jaar bij hen. De eerste twee jaren waren gedomineerd door een enorme machtsstrijd, maar nu haalde hun zoon alleen nog maar hoge cijfers op school, blonk hij uit in atletiek en veegde hij de vloer met hen beiden aan als ze pool speelden. Ze hield zielsveel van hem. Kay en April vormden bovendien Pauls persoonlijke fanclub en Scott vond dat zijn zoon straaljagerpiloot of president moest worden, dus had de jongen aan bewondering geen gebrek.

'Hij heeft toezicht, dus je hoeft je geen zorgen te maken. Kevin laat hem heus geen gekke dingen doen,' bracht Scott haar in herinnering.

Jennifer glimlachte en leunde met haar hoofd tegen Scott aan. 'Ik weet het. Kevin is een geweldige jongerenpastor geworden.'

Hij gaf haar snel een kus. 'Zijn we klaar voor Morgan?' Hun advocaat zou de volgende ochtend langskomen om te

praten over een meisje van veertien dat van huis was weggelopen en dringend onderdak nodig had.

'Ik denk het wel. Weet je zeker dat we opnieuw willen
beginnen?'

'Ik denk dat het een opdracht is die God ons in de schoot
geworpen heeft,' antwoordde Scott ernstig. 'Ik vind het
heerlijk om vader te zijn. Je hebt toch geen bedenkingen?
Of wel?'

Jennifer schudde haar hoofd. 'Nee.'

De koplampen van een auto schenen de kamer in. 'Een
halfuur. Niet gek,' zei Scott, die een blik op zijn horloge
wierp.

Paul kwam het huis binnenzetten en gooide zijn jack over
de trapleuning. 'Weten jullie, op een dag betrap ik jullie er
nog eens op dat jullie meer op die bank doen dan kussen,'
zei hij en hij liet zich met een grijns op een leren stoel
tegenover hen vallen. 'Ik ben verliefd,' kondigde hij drama-
tisch aan.

'Meen je dat?' vroeg Jennifer en ging overeind zitten. Hij
en Tiffany hadden samen veel tijd doorgebracht en vanavond was niet de eerste keer dat ze samen uit waren
geweest.

Hij liet zijn ogen rollen. 'Nee… de auto. Zelfs Kevin vindt
hem gaaf.' Lof van zijn idool. 'Tiff kan er ook wel mee door,
hoor,' zei hij tegen zijn moeder, geamuseerd om haar blik.
'Het werd laat omdat Kevin onder de motorkap wilde kijken. O, en hij wil ook dat ik hem van de zomer met de
jongste tieners help. Ik heb tegen hem gezegd dat ik het aan
jullie zou vragen.'

Scott glimlachte. 'Heb je daar zin in?'

'Ik? Of ik er zin in heb om een lading van die kids om
me heen te hebben die tegen me opkijken en aan mijn lip-

pen hangen? Wie zou dat nou willen?' antwoordde hij met een grijns.

'Jij,' antwoordde Scott. Hij keek naar Jennifer. 'Natuurlijk vinden we dat prima. Misschien kun je Tiffany vragen of ze je kan helpen.'

'Dat was ik al een beetje van plan,' zei Paul grijnzend.

Jennifer nestelde zich glimlachend in Scotts arm. Ze vond het heerlijk om moeder te zijn.